D0657428

Cette œuvre est une fiction et n'a aucun lien avec des personnes ou des situations réelles.

BAKUMAN。

6

Tsugumi Ohba
大場つぐみ

Takeshi Obata
小畑健

Tempérament et absurdité

kana

JMAN. VOLUME vol. 6

Eiji Niizuma

Un jeune dessinateur de génie qui a décroché le prix Tezuka des jeunes auteurs à 15 ans seulement. Il a une série en cours dans le Jump qui marche très fort.

18 ans

Kaya Miyoshi

Amie de Miho et petite amie de Shûjin. Elle agit activement pour maintenir une bonne relation entre Saikô et Azuki. Fondamentalement, c'est une gentille fille.

17 ans

Akito Takagi

Surnommé Shûjin. Scénariste de mangas. Un surdoué, parmi les premiers de la classe. Garde toujours son sang-froid sauf lorsqu'on lui parle de mangas.

17 ans

Miho Azuki

Rêve de devenir doubleuse. Elle a accepté la proposition de Moritaka à une condition : "On ne se reverra plus tant qu'on n'aura pas réalisé nos rêves."

17 ans

Moritaka Mashiro

Dessinateur de mangas. Un ultraromantique qui s'est lié par une promesse avec Azuki : "Si nos rêves se réalisent ensemble, marions-nous."

17 ans

* Les âges donnés sont ceux que les personnages avaient au mois de juin 2011.

Histoire

Deux garçons veulent devenir mangakas, une route très difficile qui peut leur apporter une gloire à laquelle seule une petite poignée de personnes a accès.
Voici l'histoire de Moritaka Mashiro, très doué pour le dessin, et d'Akito Takagi, doté d'aptitudes supérieures pour l'écriture, qui vont créer une nouvelle légende dans le monde des mangas !!

La rédaction du Weekly Shônen Jump

1	Directeur édito Sasaki	48 ans
2	Directeur adjoint Heishi	43 ans
3	Sôichi Aida	36 ans
4	Yûjirô Hattori	29 ans
5	Akira Hattori	31 ans
6	Kôji Yoshida	33 ans
7	Gorô Miura	24 ans

La nouvelle bande d'auteurs talentueux

A	Shinta Fukuda	21 ans
B	Takurô Nakai	34 ans
C	Kô Aoki	21 ans
D	Kôji Makaino	30 ans
E	Kazuya Hiramaru	28 ans

F Ogawa G Takahama H Katô I Yasuoka — Les assistants

* Les points d'exclamation signalent les personnages qui font leur apparition dans le tome 6.

BAKUMAN VOL. 6 - TEMPÉRAMENT ET ABSURDITÉ

Page 44 RECONNAISSANCE ET REVERS

AVEC SON 14e CHAPITRE, NOTRE SÉRIE "DÉTECTIVE MYSTIFICATEUR TRAP" A TERMINÉ 3e EX AEQUO AVEC "CROW" D'EIJI NIIZUMA AU VOTE DE POPULARITÉ DES LECTEURS.
FRANCHEMENT, JE NE PENSAIS PAS QUE VOUS ARRIVERIEZ À ÉGALER "CROW" ! C'EST GÉNIAL !
IL NE FAUT PAS NOUS SOUS-ESTIMER ! HA ! HA ! HA !
...
AU FAIT, M. HATTORI NOUS L'AVAIT DIT.
C'ÉTAIT IL Y A TOUT JUSTE TROIS ANS...
ON A RÉALISÉ CE QU'IL AVAIT PRÉDIT... ENFIN...

ON ÉTAIT ENCORE AU COLLÈGE LORSQU'ON EST ALLÉS MONTRER NOS PLANCHES POUR LA PREMIÈRE FOIS... "DANS TROIS ANS, VOUS AUREZ RATTRAPÉ NIIZUMA !" C'EST CE QUE L'ÉDITEUR A DIT...
DANS TROIS ANS, VOUS AUREZ RATTRAPÉ NIIZUMA !

... DÉPASSER EIJI EST LE TÉMOIGNAGE DE NOTRE RECONNAISSANCE ENVERS M. HATTORI !
C'EST VRAIMENT CE QU'IL AVAIT DIT... ÇA ALORS...
OUAIS ! ON DOIT Y ARRIVER

BAM
BIEN PARLÉ ! ON PEUT Y ARRIVER ! POUR LE CHAPITRE 19 À PARAÎTRE DANS LE NUMÉRO EN VENTE LE 4 JUILLET, VOUS FEREZ LA COUVERTURE EN COULEUR DU MAGAZINE !
HEIN ?!
LA COUVERTURE ?! WAOUH !!

LE 4 JUILLET, C'EST AUSSI LE JOUR DE SORTIE DU TOME 1 DE NOTRE MANGA, ET ON FAIT LA COUVERTURE EN COULEUR ! GÉNIAL !
ENFIN, CE N'EST PAS SI EXCEPTIONNEL SI ON TIENT COMPTE DU FAIT QU'ON EST TROISIÈME CETTE SEMAINE !
LE TOME 1 ET LA COUVER-TURE COULEUR ...
JUMP COMICS
巻頭カラー*
AH ! AU FAIT, MONSIEUR MIURA, VOUS POURRIEZ REGARDER MON CROQUIS POUR LE DESSIN DE COUVERTURE DU TOME 1 ?
SLAT
TU L'AS DÉJÀ FAIT ?

* PAGES COULEUR.

OUI ! BIEN ! TRÈS BIEN !
KEEP OUT
TON DESSIN A UNE FORCE D'ATTRACTION INDÉNIABLE, MASHIRO.
ON SAIT À QUEL POINT LA COUVERTURE EST IMPORTANTE.
SURTOUT SUR UN TOME 1 ! UNE BONNE COUVERTURE, ÇA PEUT JOUER SUR LES VENTES EN DIZAINES DE MILLIERS D'EXEMPLAIRES !
OUI ! EN COULEUR, CE SERA TRÈS BIEN !
AU FAIT, LE TOME 1 SERA TIRÉ À 100 000 EXEMPLAIRES !
100 000 EXEMPLAIRES ? C'EST BIEN ?
IMBÉCILES ! ET COMMENT QUE C'EST BIEN ! POUR DES DÉBUTANTS, C'EST RARE DE COMMENCER SI HAUT !
PAR COMPARAISON, LE MÊME JOUR SORTIRA "RAKKO 11", ET IL AURA UN TIRAGE DE 60 000 EXEMPLAIRES !
CELA DIT, À L'INVERSE, "CROW" A DÉMARRÉ À 150 000 !
JUMP COMICS
CROW
COMME C'EST PARTI, MÊME À 100 000, VOUS AUREZ TOUT DE SUITE UN RETIRAGE.

DANS LE CAS DE "TRAP", IL INTÉRESSERA PROBABLEMENT AUSSI CEUX QUI, SANS ÊTRE DES LECTEURS DU JUMP, AIMENT LES ÉNIGMES POLICIÈRES...
IL NE FAIT AUCUN DOUTE QUE C'EST UNE DONNÉE QUI A ÉTÉ PRISE EN COMPTE PAR LE DÉPARTEMENT DES VENTES LORSQU'IL A FIXÉ LE TIRAGE À 100 000 EXEMPLAIRES.
SI LES SORTIES DES TOMES 2 ET 3 SUIVENT, IL Y AURA DES RETIRAGES DU 1, ET LE CHIFFRE DE 500 000 EXEMPLAIRES EST LOIN D'ÊTRE UN RÊVE.
* SUSPECT.
** ENQUÊTES INSOLVABLES.
ET, ARRIVÉS À CE STADE-LÀ, VOUS N'AUREZ PLUS À VOUS LAISSER INFLUENCER PAR LES VOTES DES LECTEURS.
COMMENT ?
SI VOUS VENDEZ 500 000 EXEMPLAIRES, MÊME SI VOUS ÊTES MAL CLASSÉS DANS LES VOTES, VOTRE SÉRIE NE SERA PAS ARRÊTÉE !
ALORS, C'EST VRAI... CETTE FAMEUSE BARRE DES 500 000 EXEMPLAIRES ?!
RIEN N'EST FIXÉ OFFICIEL-LEMENT, MAIS ON N'ARRÊTE PAS UNE SÉRIE QUI SE VEND À 500 000 EXEM-PLAIRES !
ET PUIS, DE TOUTE FAÇON, DES MANGAS QUI ATTEIGNENT CE CHIFFRE ET QUI N'ONT PAS LES FAVEURS DES VOTANTS, ÇA N'EXISTE PRATIQUEMENT PAS !
OUI, EN EFFET.
OBJECTIF : 500 000 EXEMPLAIRES ! IL FAUT DÉPASSER "CROW" !
TANT QU'À AVOIR UN OBJECTIF ÉLEVÉ, VISONS LE MILLION D'EXEMPLAIRES ! ET L'ADAPTATION EN DESSIN ANIMÉ !
NI L'UN NI L'AUTRE NE SONT DES RÊVES... DÉSORMAIS, CE N'EST PLUS IRRÉALISTE...
IMBÉCILE ! LE MILLION, EN GÉNÉRAL, ON L'ATTEINT APRÈS AVOIR BÉNÉFICIÉ DE L'ADAPTATION EN DESSIN ANIMÉ !

BON ! À VOUS DE JOUER.
OUi !
VLAM
AU REVOIR !
ALLEZ ! ON S'Y MET !
HEIN ? DÉJÀ ? TU ViENS À PEiNE DE TERMINER LE CHAPiTRE 17...
SLAT
TU FERAIS MIEUX DE TE REPOSER UN PEU...
LE TOME 1 VA SORTIR, ON AURA LA COUVERTURE COULEUR DU JUMP. ALORS, CE N'EST PAS LE MOMENT DE SE REPOSER !
POUR LA SEMAiNE PROCHAiNE, iL Y AURA LES PLANCHES DU CHAPiTRE 18 ET LES PLANCHES COULEUR DU 19...
JE COMPTE SUR TOi POUR FiNiR AVEC DES SUPER-NEMUS DANS LE 19.
BiEN SÛR ! C'EST UN CHAPiTRE DE RÉSOLUTiON FiNALE, ON A GRiMPÉ DANS LES VOTES À CHAQUE FOiS. ON PEUT VRAiMENT DÉPASSER EiJi.
D'AiLLEURS, JE VAiS FAiRE DES NEMUS AVEC ÇA EN TÊTE, TU VAS VOiR.
CE SERA LE TÉMOiGNAGE DE NOTRE RECONNAiSSANCE ENVERS M. HATTORi.
SHAT
OUAiS !

ALLEZ ! AUJOURD'HUI, JE ME DONNE À FOND SUR LES APLATS !
SHAT
FAIRE DES APLATS, ÇA T'AMUSE ?
OUI, MAIS J'AIMERAIS BIEN AUSSI COLLER DES TRAMES !
POUR ÇA, DEMANDE À OGAWA.
!

HIRAMARU !
SALUT !
EUH... QU'EST-CE QUE VOUS FAITES LÀ ?
JE SUIS MONTÉ CHEZ VOUS, MAIS UN GARÇON, TAKAHAMA, M'A DIT QU'IL NE POUVAIT PAS ME LAISSER ENTRER PARCE QUE VOUS N'ÉTIEZ PAS LÀ. ALORS, COMME J'AI CRU COMPRENDRE QUE VOUS ALLIEZ ARRIVER, JE VOUS AI ATTENDUS.
SHUU
MA QUESTION, C'ÉTAIT PLUTÔT : "POURQUOI ÊTES-VOUS VENU ICI ?"
HEIN ? IL ME FAUT UNE RAISON POUR VENIR ICI ? JE TE TROUVE PLUTÔT DUR COMME GARÇON...

JE N'AI PAS DIT QUE VOUS NE POUVIEZ PAS VENIR, MAIS...
QUI EST-CE ?
HIRAMARU SENSEI, LE DESSINATEUR DE "RAKKO 11".
PAF
ENCHANTÉE. JE SUIS KAYA MIYOSHI, LA PETITE AMIE D'AKITO TAKAGI.
JE LIS VOTRE MANGA CHAQUE SEMAINE AVEC BEAUCOUP DE PLAISIR.
MOI, C'EST HIRA-MARU.
HUM... LES JEUNES FILLES, C'EST QUAND MÊME COOL...
VOUS NOUS AVEZ TROUVÉS FACILEMENT...
À LA FÊTE DE LA NOUVELLE ANNÉE, JE VOUS AVAIS DIT QUE JE VIENDRAIS VOUS RENDRE VISITE POUR LA NOUVELLE SAISON, NON ?
AH BON ?
OUI, BON, PASSONS LES DÉTAILS.
...
DITES, AVOIR UNE SÉRIE EN CONTINUANT D'ALLER AU LYCÉE, C'EST L'ENFER, NON ?
SCÉNARIO ET DESSINS SONT FAITS SÉPARÉMENT. ALORS, ÇA VA.
AH... QUAND JE PENSE QUE NIIZUMA FAISAIT ÇA TOUT SEUL... IL N'EST PAS HUMAIN.
...
MOI, J'AI EU DU SANG DANS MES URINES.
GLOUP

DU SANG... VOUS FERIEZ MIEUX D'ALLER CONSULTER UN MÉDECIN...

C'EST FAIT.

À CET ENDROIT GÊNANT APPELÉ SERVICE D'UROLOGIE... PAR PEUR QUE DES GENS NE PENSENT QUE J'AVAIS UNE AUTRE MALADIE, JE NE VOULAIS PAS QU'ON ME VOIE Y ENTRER.

MAIS ÇA N'A SERVI À RIEN.
COMMENT ÇA ?
J'Y SUIS ALLÉ LE LENDEMAIN DU SOIR OÙ J'AVAIS EU DU SANG DANS MES URINES, ET IL N'Y EN AVAIT PLUS. ON M'A DONNÉ UN MÉDICAMENT ET ON M'A DIT DE REVENIR SI ÇA SE REPRODUISAIT. ILS M'ONT RENVOYÉ CHEZ MOI, SANS M'HOSPITALISER.

SI VOUS AVIEZ ÉTÉ HOSPITALISÉ, VOUS N'AURIEZ PLUS PU DESSINER VOS PLANCHES.
MOI, JE VEUX ME REPOSER.
...
EH... MASHIRO...
HUM ?

HIER, DANS LA NUIT, ON A REÇU ÇA PAR FAX.

À l'attention de M. Ashirogi

Nous vous prions de nous excuser
pour ce fax soudain.
Kazuya Hiramaru, l'auteur de "Rakko 11",
a la fâcheuse habitude de disparaître.
Il n'est pas impossible qu'il vienne vous
rendre visite. Il est déjà allé perturber
le travail de trois autres auteurs.
Aussi, nous vous serions reconnaissants
de bien vouloir avertir au plus vite la
rédaction du "Weekly Shônen Jump"
si jamais vous le voyez.

WJ Yoshida

TU CROIS QU'ON DOIT LES PRÉVENIR ?
ON N'A AUCUNE GARANTIE DANS CE TRAVAIL.
C'EST DÉJÀ FAIT.

LORSQU'ON N'A PLUS DE POPULARITÉ AUPRÈS DES LECTEURS, LA SÉRIE EST ARRÊTÉE. VOUS LE SAVIEZ, VOUS ? PAS MOI... C'EST EFFRAYANT, CE MÉTIER, NON ?
OUI.
PRÉSENTÉ COMME ÇA, EN EFFET, MAIS MOI, JE TROUVE QUE C'EST UN MÉTIER PLEIN DE RÊVES.
DES RÊVES ? MOI, JE N'Y VOIS QU'UN CAUCHEMAR.
DING DONG
C'est Yoshida du Weekly Jump.
!
SAT
BON ! JE CROIS QU'ON EST VENU ME CHERCHER. ALORS, À LA PROCHAINE.
SAT
BLAM
"À LA PROCHAINE" ? IL PREND ÇA BIEN...
JE CROIS QU'IL A L'HABITUDE.
CLAC
C'EST SA FAÇON À LUI D'ÉVACUER SON STRESS.
IL A BEAU DIRE QU'IL VEUT TOUT ARRÊTER, QU'IL VEUT SE REPOSER, JE SUIS SÛR QU'IL VA CONTINUER TRÈS LONGTEMPS.
JE VOIS...
BONJOUR. DITES, ON A CROISÉ DEUX PERSONNES QUI NOUS ONT SALUÉS À L'ENTRÉE...
QUI ÉTAIT-CE ?
HIRAMARU SENSEI ET SON RESPONSABLE ÉDITORIAL.
?

CETTE SEMAINE, L'ENCRAGE EST DÉJÀ TERMINÉ. C'EST BIEN POUR NOUS.
OUI, C'EST NORMAL. JE DOIS RENDRE MES PLANCHES CORRIGÉES POUR LE TOME 1 AINSI QUE LA COUVERTURE COULEUR.
ÇA Y EST, LE TOME 1 VA SORTIR... LA SÉRIE EST PARTIE POUR DURER. JE SUIS RASSURÉ.
LE PREMIER JOUR, C'EST BIEN LUI QUI DISAIT QUE LE MANGA SERAIT VITE ARRÊTÉ...
DE PLUS, DEPUIS QUELQUES CHAPITRES, LES DESSINS DE MASHIRO SE SONT VACHEMENT AMÉLIORÉS...
ON VOIT QU'IL A ATTRAPÉ LE COUP.
C'EST VRAI ?
BIEN JOUÉ, MASHIRO !
FLAP
FLAP
C'EST UNE QUESTION DE SENSIBILITÉ... QUELQUE CHOSE QUE JE N'AI PAS...
SI JE L'AVAIS, JE PENSERAIS À DEVENIR MANGAKA, MAIS, MÊME SI JE ME DÉBROUILLE POUR LES OBJETS, QUESTION PERSONNAGES, JE N'ARRIVE PAS À LA CHEVILLE DE TAKAHAMA...
TU PASSES TON TEMPS À FAIRE DES ARRIÈRE-PLANS, TU NE FAIS PAS D'EFFORTS POUR LES PERSONNAGES.
CRAT CRAT
CRAT CRAT
CRAT CRAT
TOUT AVANÇAIT COMME ON L'ESPÉRAIT.
LE CHAPITRE 15 S'EST CLASSÉ 6e.
6e...
"CROW" RESTAIT À LA TROISIÈME PLACE ET IL CREUSAIT DE NOUVEAU UN ÉCART AVEC NOUS.
AVEC LES PAGES COULEUR EN TÊTE DU MAGAZINE POUR LE CHAPITRE 19, ON DOIT ARRIVER À LE DÉPASSER !
OUI !
BIEN PARLÉ !

ON EST 5es ! ENCORE DEVANT "TRAP" ! YASUOKA, C'EST GRÂCE À TOI !
C'EST VRAI ? ALORS, QUE DIRIEZ-VOUS DE CHANGER LE TARIF : 2 000 YENS PAR IDÉE ?
TOI ALORS ! TU VEUX ENCORE NÉGOCIER ?!
EN FAIT, JE FAIS LIRE LES HISTOIRES À MES POTES ET JE LEUR AI DIT QU'ON TOUCHAIT 500 YENS PAR IDÉE GARDÉE. ALORS POUR ÊTRE ENCORE PLUS MOTIVÉS, MES POTES ET MOI, ON AIMERAIT BIEN AVOIR 1 000 YENS CHACUN.
ENFOIRÉ ! TU SOUS-TRAITES LE TRAVAIL EN GARDANT UNE MARGE ?! TU ME PLAIS ! O.K. ! ON MONTE À 3 000 YENS !!
OH ! JE VOUS RECONNAIS BIEN LÀ, GRAND MAÎTRE FUKUDA !
HUM... LE CHAPITRE 7 SE CLASSE 10e... ZUT... LA SEMAINE DERNIÈRE, ON ÉTAIT MONTÉS À LA 8e PLACE...
ÊTRE OU NE PAS ÊTRE DANS LE TOP 10, ÇA NE LAISSE PAS DU TOUT LA MÊME IMPRESSION...
CRAT
QUI A FAIT LES CRAYONNÉS DE CETTE PAGE ?
J'AI BESOIN DE COMPRENDRE CLAIREMENT CE QUE CONTIENT LA PAGE.
C'EST TROP APPROXIMATIF ! RECOMMENCEZ !
CRAT
AH... PARDON...
IL EST SUR LES NERFS AUJOURD'HUI...
11e... C'EST LA PREMIÈRE FOIS QUE TU AS UN CLASSEMENT À DEUX CHIFFRES... IL SERAIT TEMPS QUE TU T'Y METTES SÉRIEUSEMENT...
MAIS JE FAIS DÉJÀ ÇA TRÈS SÉRIEUSEMENT... JE N'EN PEUX PLUS.
ALLER TE CACHER À DROITE ET À GAUCHE, C'EST ÇA QUE TU APPELLES "TRÈS SÉRIEUSEMENT" ?
PSYCHOLOGIQUEMENT, JE SUIS À BOUT... LA PREUVE : J'AI EU DU SANG DANS MES URINES.
BON, J'AI UNE IDÉE ! QUAND TU AURAS FINI TES PLANCHES, JE T'INVITERAI À BOIRE DANS UN BAR OÙ IL Y A DE TRÈS JOLIES FILLES. POUR TE CHANGER LES IDÉES, CE SERA MIEUX QU'UN JEU DE CACHE-CACHE, NON ?
AVEC ÇA, IL TIENDRA DEUX SEMAINES...
MONSIEUR YOSHIDA, JE VAIS M'Y METTRE POUR DE BON. VOUS ALLEZ VOIR.
CRAT
CRAT

PAR CHANCE, LE 15 JUIN, C'EST LA DATE ANNIVERSAIRE DE LA FONDATION DU LYCÉE, ET IL N'Y A PAS DE COURS. DU COUP, J'AI PU VENIR TRAVAILLER À PARTIR DU 14, EN PASSANT UNE NUIT BLANCHE.
CHAPITRE 18
19 PAGES
CHAPITRE 19
COUVERTURE MAGAZINE
3 PAGES EN
4 COULEURS
JE N'AVAIS PAS LE CHOIX : IL FALLAIT QUE JE FASSE EN MÊME TEMPS LE CHAPITRE 18 ET LES PAGES COULEUR DU CHAPITRE 19.
CRAT !
CRAT !
JE DOIS TERMINER L'ENCRAGE AVANT L'ARRIVÉE DES ASSISTANTS DEMAIN, AFIN QU'IL NE ME RESTE PLUS QUE LA COULEUR À FAIRE...
CRAT !
CRAT !
CRAT !

谷草駅西口
YAKUSA STATIO
BONJOUR ! ON A PRIS LE MÊME TRAIN, HEIN ?
!
PSHAT
PUISQU'ON VA AU MÊME ENDROIT, ÇA NE TE DÉRANGE PAS QU'ON MARCHE ENSEMBLE, N'EST-CE PAS ?
EUH... NON...
PLASH
JE TROUVE MASHIRO TRÈS SÉDUISANT.
...?
GLOUP

* GARE DE YAKUSA - SORTIE OUEST.

C'EST SÛREMENT DÛ AU FAIT QU'IL EST DESSINATEUR, NON ?
IL A CE CÔTE TIMIDE, C'EST MIGNON...
...
KATÔ, QUEL ÂGE AS-TU ?
EUH... J'AI HUIT ANS DE PLUS QUE MASHIRO...
CE N'EST PAS RAISON-NABLE ?
TU SAIS, JE CROIS QU'IL SORT DÉJÀ AVEC QUELQU'UN.
QUE...?
C'EST VRAI ? CONTRAIREMENT À TAKAGI, IL NE LE MONTRE PAS...
SOUVENT, APRÈS QUE TOI ET OGAWA ÊTES PARTIS, ON PARLE PAS MAL, ET...
... PLUSIEURS INDICES LAISSENT À PENSER QU'IL A UNE COPINE.
TU... TU EN ES SÛR ?
ÉCOUTE, POSE-LUI TOI-MÊME LA QUESTION.
AH...
CLAC !
TIENS ! IL EST DÉJÀ LÀ, ON DIRAIT.
BON-JOUR !

...!

KYAA !
ON DIRAIT QU'IL S'EST ENDORMI.
IL EST MORT.
QUOI ?!

JE PLAISANTE. IL RESPIRE.
DIS DONC... IL Y A QUAND MÊME DES BLAGUES À NE PAS FAIRE...
CELA DIT, C'EST BIZARRE QUE TON CRI NE L'AIT PAS RÉVEILLÉ.
AH... OUI, C'EST VRAI. JUSQU'À PRÉSENT, IL SE RÉVEILLAIT TOUJOURS QUAND QUELQU'UN ARRIVAIT.
MASHIRO ! MASHIRO !
CLAC
BONJOUR À T...
!?
OGAWA !
BEN... QUE SE PASSE-T-IL ?!
MASHIRO NE VEUT PAS SE RÉVEILLER.
IL NE VEUT PAS SE RÉVEILLER...? MAIS ENFIN !
KATÔ ! APPELLE UNE AMBULANCE !
TAKAHAMA ! APPELLE TAKAGI ET MIURA !
TU CONNAIS LE NUMÉRO DE TÉLÉPHONE DE SES PARENTS ?!

*集英

QUOI ?!
* SHÛEISHA.

IL A PERDU CONNAISSANCE...?
OUI...

IL EST REVENU À LUI, MAIS IL SEMBLE TRÈS FAIBLE ET IL TRANSPIRE ÉTRANGEMENT BEAUCOUP. UNE AMBULANCE VIENT DE L'EMMENER.

POUR LES PLANCHES, IL EN RESTE DEUX OU TROIS À FINIR. ELLES SONT ENCRÉES, DONC JE PENSAIS LES BOUCLER AVEC L'AIDE DE TAKAHAMA. KATÔ, ELLE, ACCOMPAGNE MASHIRO À L'HÔPITAL.

QUEL HÔPITAL ?
L'HÔPITAL MUNICIPAL DE YAKUSA.
TRÈS BIEN. J'Y VAIS.

TAP
IL TIRE UNE SACRÉE TRONCHE... OÙ VA-T-IL COMME ÇA ?

MIURA, ATTENDS ! QUE SE PASSE-T-IL ?
MASHIRO S'EST ÉVANOUI !
...!

POUR UN LYCÉEN COMME LUI, C'EST LE PIRE QU'ON POUVAIT CRAINDRE, N'EST-CE PAS ?
C'EST VRAI QU'IL A EU BEAUCOUP DE CHOSES À FAIRE EN MÊME TEMPS : LA SORTIE DU TOME 1, LES PAGES COULEUR, ETC.

JE T'AC-COMPAGNE. POUR L'INSTANT, NE DIS RIEN À NOS SUPÉRIEURS.
ENTENDU.
TAP

VOOOO
ZAAAAA
*谷草市立病院
IL EST ENCORE EN SALLE D'EXAMEN...

* HÔPITAL MUNICIPAL DE YAKUSA.

TAD
TAD
検査室
MONSIEUR MIURA...
MONSIEUR HATTORI !
COMMENT ÇA VA ?
JE NE SAIS PAS, LES EXAMENS NE SONT PAS FINIS.
NON, JE VEUX PARLER DE TOI.
C'EST... C'EST VOUS QUI AVIEZ RAISON, MONSIEUR HATTORI !
AVOIR UNE SÉRIE TOUT EN ALLANT AU LYCÉE, C'EST IMPOSSIBLE...
BONJOUR, MESSIEURS. JE SUIS LA MÈRE DE MORITAKA MASHIRO.
!!
NOUS SOMMES SINCÈREMENT DÉSOLÉS !
NOUS SOMMES VRAIMENT DÉSOLÉS !
NON, JE VOUS EN PRIE... ON NE SAIT TOUJOURS PAS CE QU'IL A... ET PUIS C'EST LUI QUI A CHOISI CETTE VOIE.
BAM

* SALLE D'EXAMEN.

SAT
スッ
!
AH ! DOCTEUR ! COMMENT VA SAIKÔ ?! EUH... MASHIRO ?!
VOUS ÊTES DE LA FAMILLE ?
MOI, OUI.

DOCTEUR ! C'EST MON MEILLEUR AMI... ENFIN, LUI ET MOI NE FAISONS QU'UN...
CE GARÇON, TAKAGI, EST LE SCÉNARISTE D'UN MANGA QUE DESSINE MASHIRO. NOUS SOMMES LEURS ÉDITEURS. SI NOUS POUVIONS AUSSI ÊTRE INFORMÉS DE L'ÉTAT DU PETIT...

BIEN. ENTRONS, JE VOUS PARLERAI À L'INTÉRIEUR.
KATÔ, TOI, RETOURNE À L'ATELIER.
MAIS ...
ON S'OCCUPE DU RESTE.
OUI ...

* SALLE D'EXAMEN.

QUE... QUOI ...?!

LES NEMUS D'OHBA

LES NEMUS D'OBATA

Les planches terminées !

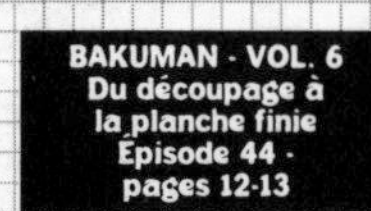

VOUS DITES QUE SON TAUX D'AST, OU D'ALT, EST TROP ÉLEVÉ DANS LE SANG... JE NE SAIS PAS TROP CE QUE ÇA SIGNIFIE, MAIS...
... CE QUE J'AI COMPRIS, C'EST QUE SON FOIE EST AFFAIBLI, QUE DES BACTÉRIES S'Y SONT DÉVELOPPÉES ET QU'IL FAUT PROCÉDER À UNE ABLATION PARTIELLE. C'EST BIEN ÇA ?
OUI, PARFAITEMENT.
Page 45
MALADIE ET MOTIVATION
ERASER
SHŪJIN...
SAIKÔ...
APPORTE-MOI MES PLANCHES.
!

ON M'A DIT QUE J'ALLAIS ÊTRE OPÉRÉ.
OUI, EN EFFET.
JE VAIS ÊTRE HOSPITALISÉ AU MOINS PENDANT TROIS MOIS.
DANS CE CAS, JE VAIS DESSINER À L'HÔPITAL.
...

LA COUVERTURE EN COULEUR DU MAGAZINE... C'EST UNE CHANCE UNIQUE POUR NOUS. ALORS, JE VAIS DESSINER ICI.
...
J'AI COMPRIS. JE VAIS CHERCHER TES PLANCHES.
TAC
SAT
!
JE... JE PEUX COMPRENDRE CE QUI VOUS POUSSE, MAIS...
NON... MAIS...

DOCTEUR, IL A BESOIN DE REPOS, N'EST-CE PAS ?
BIEN SÛR.
IL SOUFFRE ÉGALEMENT D'UN DÉBUT DE MALNUTRITION. POUR L'INSTANT, LA PRIORITÉ, C'EST QU'IL SE RÉGÉNÈRE CONVENABLEMENT.
...

CLANG
JE RENTRE TRAVAILLER CHEZ MOI.
QUE... QUOI ?! VOUS DEVEZ RESTER COUCHÉ, C'EST IMPÉRATIF !
CRAT
CLANG
VOUS N'ALLEZ PAS ME FAIRE CROIRE QU'UN HOMME MEURT AUSSI FACILEMENT.
MOURIR, NON, MAIS SI VOUS CONTINUEZ COMME ÇA, LA MALADIE NE FERA QUE S'AGGRAVER.
ALLONS ! RECOUCHEZ-VOUS !
ÉCOUTEZ-MOI BIEN ! SI L'ON NE FAIT RIEN, VOTRE CAS VA S'AGGRAVER, ET VOUS TOMBEREZ DANS UNE SITUATION IRRÉMÉDIABLE. CE N'EST PAS UNE MALADIE QUI SE GUÉRIT D'ELLE-MÊME.
EN TANT QUE MÉDECIN, MON DEVOIR EST DE VOUS SOIGNER. ALORS, VOUS ALLEZ FAIRE CE QUE JE VOUS DIS.
D'ACCORD, MAIS LAISSEZ-MOI DESSINER ICI.
J'AI UNE SÉRIE PUBLIÉE DANS UN MAGAZINE HEBDOMA-DAIRE...

AVEC UNE SÉRIE HEBDOMADAIRE, IL NE FAUT PAS INTERROMPRE LE RYTHME !!
MASHIRO ! CE QUE TU DIS EST ADMIRABLE, C'EST TOUT À TON HONNEUR.
OUI ! SI SEULEMENT HIRAMARU SENSEI ÉTAIT LÀ POUR T'ENTENDRE !
MAIS TU ES MALADE ! LA PRIORITÉ, C'EST LA GUÉRISON ! ÇA N'A RIEN À VOIR AVEC DE LA PARESSE, ET CE N'EST PAS HONTEUX !
TU VAS TE REPOSER PLEINEMENT.

MAIS JE NE VEUX PAS INTERROMPRE MON HISTOIRE... ON A ENFIN CONQUIS UN LECTORAT ! CE N'EST PAS LE MOMENT DE S'ABSENTER !
MONSIEUR HATTORI ! VOUS SAVEZ TRÈS BIEN CE QUE JE VEUX DIRE, N'EST-CE PAS ? C'EST DIFFÉRENT D'UNE SÉRIE INSTALLÉE DEPUIS DES ANNÉES QUI FAIT UNE PAUSE !
...
MASHIRO, TU ME CONFIRMES QU'IL NE TE RESTE PLUS QUE DEUX PAGES À ENCRER SUR LE CHAPITRE 18 ?
S'IL RESTE QUELQUE CHOSE À FAIRE, OUI, ÇA DOIT ÊTRE ÇA.

QUE DIRAIS-TU DE LAISSER TES ASSISTANTS TERMINER CE TRAVAIL ET DE PRENDRE ENSUITE UNE DÉCISION POUR LES CHAPITRES SUIVANTS, À TÊTE REPOSÉE ?
HORS DE QUESTION... JE FAIS MOI-MÊME L'ENCRAGE DE MES PERSONNAGES. JE SUIS UN PROFES-SIONNEL.
COMBIEN DE TEMPS CELA TE PRENDRAIT-IL ?
...
POUR LE CHAPITRE 18, TROIS OU QUATRE HEURES...
MAIS, SI JE NE FAIS PAS EN MÊME TEMPS LES COULEURS POUR LES CHAPITRES SUIVANTS, IL SERA TROP TARD. J'AI BESOIN D'UNE JOURNÉE POUR MES DESSINS EN QUADRI.

QU'EN PENSEZ-VOUS, DOCTEUR ? UNE JOURNÉE, C'EST FAISABLE ? OU DU MOINS QUATRE HEURES POUR LE CHAPITRE SUIVANT...
MIURA...
ARRÊTEZ TOUT DE SUITE !

QU'AVEZ-VOUS EN TÊTE ? VOUS VOULEZ LE TUER ?
MON FILS N'EST PAS UNE MACHINE À DESSINER DES MANGAS !
...
...
JE SUIS DÉSOLÉ, JE ME SUIS LAISSÉ EMPOR-TER...

NE VOUS EN FAITES PAS, MADAME.
AUSSI LONGTEMPS QU'IL SERA DANS NOTRE HÔPITAL, JE VOUS GARANTIS QU'IL SE REPOSERA.
MERCI, DOCTEUR.

BIEN, LES VISITES SONT AUTORISÉES JUSQU'À 19 H. MORITAKA DOIT RETOURNER DANS SA CHAMBRE.
S'IL RESTE AU CALME, IL N'Y A PAS D'INQUIÉTUDE À AVOIR.
TAC
C'EST BIEN COMPRIS, MORITAKA ? LA GUÉRISON PASSE AVANT TOUT.
... OUI...

!
♫

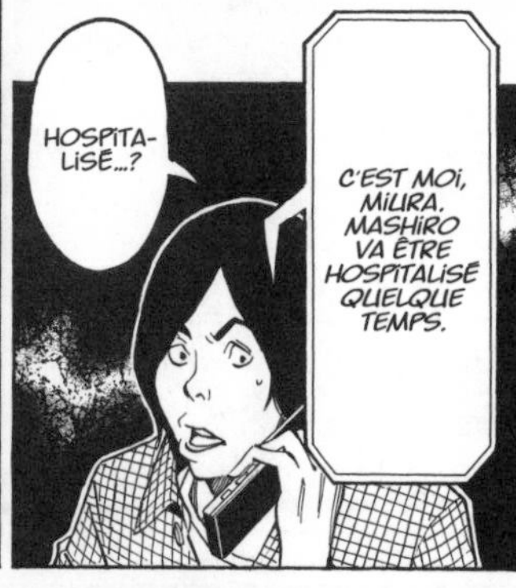
C'EST MOI, MIURA. MASHIRO VA ÊTRE HOSPITALISÉ QUELQUE TEMPS.
HOSPITA-LISÉ...?

UNE OPÉRATION ...?

QUOI QU'IL EN SOIT, POUR L'INSTANT, JE VOUDRAIS QUE VOUS FINISSIEZ LES 16 PAGES DU CHAPITRE 18.
QUANT À LA SUITE, ON AVISERA APRÈS AVOIR EXPLIQUÉ LA SITUATION À NOS SUPÉRIEURS HIÉRARCHIQUES. JE VOUS RAPPELLE DEMAIN, AU PLUS TARD.
CLAP

LA SÉRIE VA ÊTRE INTERROMPUE, HEIN ?
ON N'A PAS LE CHOIX.

MERDE... POURQUOI SAIKÔ...?

♫

SHŪJIN, C'EST MOI.
Cabine téléphonique

SAIKÔ ! TU AS LE DROIT DE TÉLÉPHONER COMME ÇA ?

ON ME LAISSE QUAND MÊME ALLER AUX TOILETTES...

APPORTE-MOI LES PLANCHES À L'HÔPITAL. TU ES LE SEUL À QUI JE PEUX DEMANDER ÇA. PAS QUESTION QU'ON FASSE UNE PAUSE. ON EST DES PROS.

SAIKÔ...

MAIS... TU VAS VRAIMENT DESSINER À L'HÔPITAL...?
JE PARTAGE MA CHAMBRE AVEC UN VIEUX, C'EST TOUT... SI JE FAIS ÇA SANS QUE LE DOCTEUR ET LES INFIRMIÈRES ME VOIENT, ÇA DEVRAIT ALLER. ILS ÉTEIGNENT LES LUMIÈRES À 21 H. ALORS, J'AURAIS AUSSI BESOIN D'UNE LAMPE DE POCHE. JE VAIS UTILISER LA MÉTHODE DE M. NAKAI. J'AURAI BIEN PLUS DE TEMPS QUE LORSQU'ON VA EN COURS.

...

SAIKÔ... JE VAIS ATTENDRE QUE TU SOIS COMPLÈTEMENT GUÉRI... LA PRIORITÉ, C'EST QUE TU GUÉRISSES.
QUOI ?! TOI AUSSI, TU T'Y METS ?! CE N'EST PAS LE MOMENT D'INTERROMPRE NOTRE MANGA, TU LE SAIS ! SI ON S'ARRÊTE TROIS OU QUATRE MOIS, ON VA PERDRE LES LECTEURS QU'ON A EU TANT DE MAL À AVOIR !
OUI... MAIS...
JE NE VAIS PAS EN MOURIR, ENFIN ! JE VAIS ÊTRE OPÉRÉ, D'ACCORD ! C'EST LE SEUL JOUR OÙ JE NE POURRAI RIEN FAIRE !

LES PAGES COULEUR, C'EST UNE CHANCE INESPÉRÉE DE DÉPASSER EIJI ! ET NOTRE RECONNAISSANCE ENVERS M. HATTORI ?! "TRAP" A L'AVENIR DEVANT LUI !!
SAIKÔ... CE N'EST PAS BON QU'IL S'AFFOLE COMME ÇA...
OUI... C'EST VRAI...
JE... J'AI COMPRIS... JE PASSERAI DEMAIN.
O.K. ! LES VISITES COMMENCENT À 15 H. ALORS, VIENS À 15 H, HEIN ?
...
BIP !

BIP ! BIP !
MIYOSHI ? OÙ ES-TU ?
C'EST TOI QUI POSES CETTE QUESTION ? JE SUIS ALLÉE À L'ATELIER, TU N'Y ÉTAIS PAS, ET LES AUTRES TIRAIENT UNE DE CES TRONCHES... TU AVAIS ÉTEINT TON TÉLÉPHONE, HEIN ? TU ÉTAIS AVEC UNE AUTRE FILLE, C'EST ÇA ?!
TU POURRAIS VENIR, LÀ ?
HEIN ? OÙ ÇA ?
HUM... AU PARC MOMIJI.
D'ACCORD, J'ARRIVE.
BIP !

...
ON DEVRA PEUT-ÊTRE RÉFLÉCHIR SÉRIEUSEMENT LA PROCHAINE FOIS QU'ON ENVISAGERA DE PUBLIER EN HEBDOMADAIRE UN LYCÉEN.
...
MASHIRO REFUSE DE LAISSER SES ASSISTANTS TERMINER L'ENCRAGE DES PERSONNAGES, HEIN ?
OUI.
ON VA PUBLIER LES 16 PAGES QUI SERONT PRÊTES, ON COMBLERA AVEC DEUX PAGES SPÉCIALES DU MAGAZINE ET UNE PAGE POUR ANNONCER L'INTERRUPTION DE LA SÉRIE LA SEMAINE SUIVANTE.
OUI...
ET VOILÀ... C'EST BIEN CE QU'ON CRAIGNAIT... MAIS C'EST NORMAL, HEIN ?!
AUTRE CHOSE : D'APRÈS CE QUE JE COMPRENDS, MASHIRO A L'AIR DÉTERMINÉ À DESSINER DEPUIS SON LIT D'HÔPITAL.
OUI... IL EST DÉCIDÉ À NE PAS INTERROMPRE SON TRAVAIL...
BIEN ÉVIDEMMENT, TU IRAS AUSSI SOUVENT QUE POSSIBLE À L'HÔPITAL POUR PRENDRE DE SES NOUVELLES, MAIS LA PRIORITÉ, C'EST LA SANTÉ DE L'AUTEUR.
TU OBÉIRAS AUX ORDRES DU MÉDECIN, ET NON PAS À LA VOLONTÉ DE MASHIRO.
ENTENDU.

TU ME JURES, TU ME PROMETS QUE C'EST UNE OPÉRATION ABSOLUMENT SANS DANGER ?!
OUI... IL N'Y A AUCUN SOUCI, C'EST UNE OPÉRATION SANS RISQUE.

LE PROBLÈME, C'EST QU'ELLE SERA PRATIQUÉE D'ICI 10 À 15 JOURS, ET QUE SAIKÔ NE SORTIRA PAS DE L'HÔPITAL AVANT TROIS MOIS...

PENDANT CE TEMPS, NOTRE MANGA SERA PEUT-ÊTRE INTERROMPU...
C'EST COMME ÇA, ON N'Y PEUT RIEN...!

JE LE SAIS BIEN, MOI. SAIKÔ, LUI, IL M'A DEMANDÉ DE LUI APPORTER SES PLANCHES POUR QU'IL PUISSE DESSINER À L'HÔPITAL.
MAIS... ENFIN... IL NE FAUT PAS FAIRE ÇA !

JE ME SUIS MIS À SA PLACE ET, FINALEMENT, JE N'AI PU QU'ACCEPTER...

TAKAGI...
HEIN ?

IMBECILE!!
BLAM
SI TU ES VRAIMENT SON AMI, TU AS LE DEVOIR DE L'EMPÊCHER DE FAIRE ÇA ! C'EST MINABLE CE QUE TU FAIS !
OUI, JE SUIS MINABLE...
CLANG
... MAIS, ENTRE SAIKÔ ET MOI, LA RELATION NE SE RÉSUME PAS À UNE SIMPLE AMITIÉ...
NOUS NE FAISONS QU'UN... MOI NON PLUS, JE N'AI PAS ENVIE QU'ON S'ARRÊTE... SI J'ÉTAIS À SA PLACE, JE SERAIS PRÊT À MOURIR, MOI AUSSI, POUR POUVOIR EMPÊCHER ÇA... JE SAIS AUSSI BIEN QUE LUI À QUEL POINT NOUS SOMMES DANS UNE PHASE IMPORTANTE...

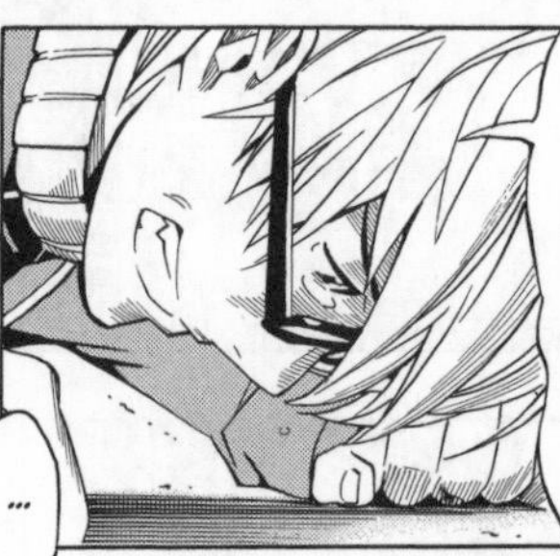
POURQUOI EST-CE QUE ÇA ARRIVE À LUI ET PAS À MOI ? MÊME MALADE, MOI, LES NEMUS, J'AURAIS PU LES FAIRE À L'HÔPITAL FACILEMENT SUR UN CAHIER...

...

IL FAUT PRÉVENIR AZUKI...
!

ÇA, JE NE CROIS PAS QUE CE SOIT UNE BONNE IDÉE.

ELLE LIT LE JUMP CHAQUE SEMAINE... SI LE MANGA EST INTERROMPU, ELLE S'EN RENDRA COMPTE... LES DEUX PREMIÈRES SEMAINES, ÇA PASSERA ENCORE, MAIS TROIS MOIS, TU PENSES BIEN QUE C'EST IMPOSSIBLE À CACHER...
C'EST SÛR... IL FAUT PEUT-ÊTRE ATTENDRE QUE L'OPÉRATION SOIT PASSÉE...
IMAGINE UN PEU, MIYOSHI... TON PETIT COPAIN SUBIT UNE OPÉRATION, ET TU NE L'APPRENDS QUE LORSQUE TOUT EST PASSÉ PARCE QUE TES AMIS TE L'ONT CACHÉ. TU N'AIMERAIS PAS ÇA, HEIN ?
...

DE PLUS, LA SEULE PERSONNE VERS LAQUELLE ON PEUT SE TOURNER, C'EST ELLE.
HEIN ?

SI C'EST ELLE QUI LUI DIT DE NE PAS DESSINER ET DE SE REPOSER, SAIKÔ L'ÉCOUTERA PEUT-ÊTRE.
ELLE NON PLUS N'ARRIVERA PAS FORCÉMENT À LE RAISONNER.

HUM... DE PLUS, JE ME DEMANDE SI ELLE NE VA PAS S'EFFONDRER EN APPRENANT L'HOSPITALISATION ET LA FUTURE OPÉRATION... MIHO EN EST BIEN CAPABLE...
NON... AZUKI EST UNE FILLE FORTE... DE TOUTE FAÇON, PERSONNE NE RESTE DE MARBRE EN APPRENANT QUE SON AMOUREUX VA SUBIR UNE OPÉRATION.
QUOI QU'IL EN SOIT, C'EST LA PETITE AMIE DE SAIKÔ, ON SE DOIT DE LA PRÉVENIR.
... AH... OUI...

♫♫
C'EST TAKAGI ...
BONSOIR !
BON-SOIR...

JE VOUDRAIS QUE TU M'ÉCOUTES EN GARDANT TON CALME.
!?

CE N'EST RIEN DE GRAVE, MAIS SAIKÔ A UN PROBLÈME DE SANTÉ.

L'HÔPITAL... UNE OPÉRATION...
...

MIHO ! LE REPAS EST PRÊT !

SLAT

TAC
TAC

MAMAN...

MASHIRO, IL...

IL EST HOSPITALISÉ... ON VA L'OPÉRER POUR LUI ENLEVER UN MORCEAU DU FOIE...
...

JE... JE VEUX ALLER LE VOIR POUR LE CONVAINCRE D'ARRÊTER DE DESSINER SON MANGA.
TAKAGI DIT QUE JE SUIS LA SEULE À POUVOIR Y ARRIVER.
LE CONVAINCRE D'ARRÊTER ?
ALORS QU'IL DOIT SE REPOSER ABSOLUMENT, IL EST DÉTERMINÉ À DESSINER À L'HÔPITAL...
OUI... C'EST LE GARÇON QUE TU AIMES... IL NE SE MÉNAGE PAS, HEIN ?

EN EFFET...
...
MIHO...
MINA, TU VEUX BIEN ALLER DANS TA CHAMBRE UN PETIT MOMENT ?
OH NON !
JE SUIS INQUIÈTE POUR MA GRANDE SOEUR !

MIHO, NE T'EN FAIS PAS, LES MÉDECINS JAPONAIS SONT BRILLANTS !
OUI, MINA A RAISON.
DEMAIN, TU T'ABSENTERAS DE L'ÉCOLE, ET TU IRAS VOIR CE GARÇON À L'HÔPITAL. AVEC DE LA DÉTERMINATION ET UN GRAND SOURIRE.
OUI ...

LE LENDEMAIN...
* HÔPITAL MUNICIPAL.

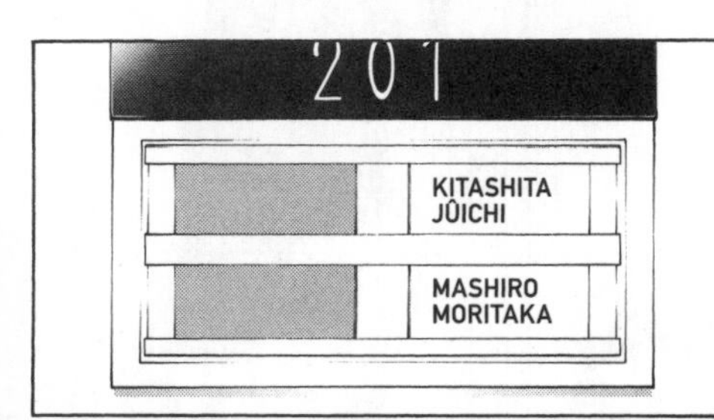
201
KITASHITA JÛICHI
MASHIRO MORITAKA

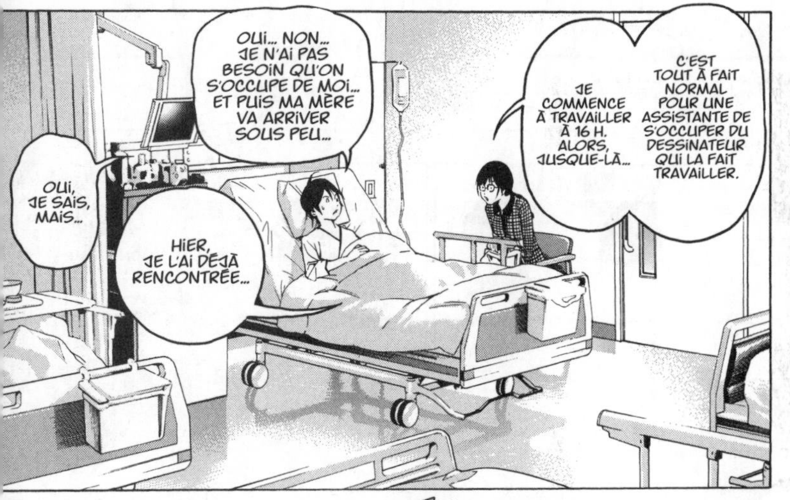
C'EST TOUT À FAIT NORMAL POUR UNE ASSISTANTE DE S'OCCUPER DU DESSINATEUR QUI LA FAIT TRAVAILLER.
JE COMMENCE À TRAVAILLER À 16 H. ALORS, JUSQUE-LÀ...
OUI... NON... JE N'AI PAS BESOIN QU'ON S'OCCUPE DE MOI... ET PUIS MA MÈRE VA ARRIVER SOUS PEU...
HIER, JE L'AI DÉJÀ RENCONTRÉE...
OUI, JE SAIS, MAIS...

SHÛJIN, QU'EST-CE QUE TU FOUS ? JE T'AI POURTANT DIT DE VENIR À 15 H AVEC LES PLANCHES...
TOC
TOC
MASHIRO ...?
HEIN ?!

MASHIRO, C'EST MOI, MIHO.
A... AZUKI...?! MAIS ENFIN...?!
C'EST MIYOSHI QUI A ENCORE TROP PARLÉ...
SA PETITE AMIE...?
TAP

BON ! JE NE VEUX PAS VOUS DÉRANGER PLUS LONGTEMPS...
TAP
AH... OUI... ET... JE COMPTE SUR TON BON TRAVAIL ! MERCI !
NOTRE RELATION N'EST QUE PROFESSION-NELLE. INUTILE D'INSISTER AUTANT LÀ-DESSUS...
OH ! ON DIRAIT UNE POUPÉE... JE N'AI AUCUNE CHANCE...

SAT
ELLE M'A SALUÉE EN PREMIER... ELLE EST SÛRE D'ELLE...
MASHIRO, TU CROIS QUE JE PEUX ENTRER ?
!

...
QU'EST-CE QUE TU FAIS LÀ ?
ON EST CENSÉS SE REVOIR QUAND NOS RÊVES SERONT ACCOMPLIS...
TU DIS ÇA ALORS QUE TU AS VOULU VENIR ME VOIR CHEZ MOI LA DERNIÈRE FOIS...?
...
AH... ÇA, C'ÉTAIT UN CAS D'EXTRÊME URGENCE...

LÀ, ON EST EN TRÈS BONNE VOIE POUR QUE NOS RÊVES SE RÉALISENT. ALORS, JE NE COMPRENDS PAS POURQUOI IL FAUDRAIT QU'ON SE VOIE MAINTENANT...
ON EN EST TOUT PROCHES... IL FAUT QUE LA PUBLICATION DE NOTRE MANGA SE POURSUIVE SANS INTERRUPTION ENCORE UN PEU ET...
"SANS INTERRUPTION"...
AVEC DE LA DÉTERMINATION ET UN GRAND SOURIRE.
OUI, JE COMPRENDS... DANS CE CAS, JE NE VAIS PAS ENTRER ET, MÊME SI ÇA ME GÊNE UN PEU, JE VAIS PARLER PLUS FORT.

TU ES D'ACCORD POUR QUE JE TE PARLE QUAND MÊME ? JE SUIS VENUE EXPRÈS TE RENDRE VISITE. TU NE PEUX PAS ME DIRE DE RENTRER CHEZ MOI COMME ÇA, N'EST-CE PAS ?
...
EUH... NON...

TU ES LA SEULE QUI PUISSE PARVENIR À LE RAISONNER, AZUKI. JE T'EN PRIE !
MASHIRO...
O... OUI...

LES NEMUS D'OHBA

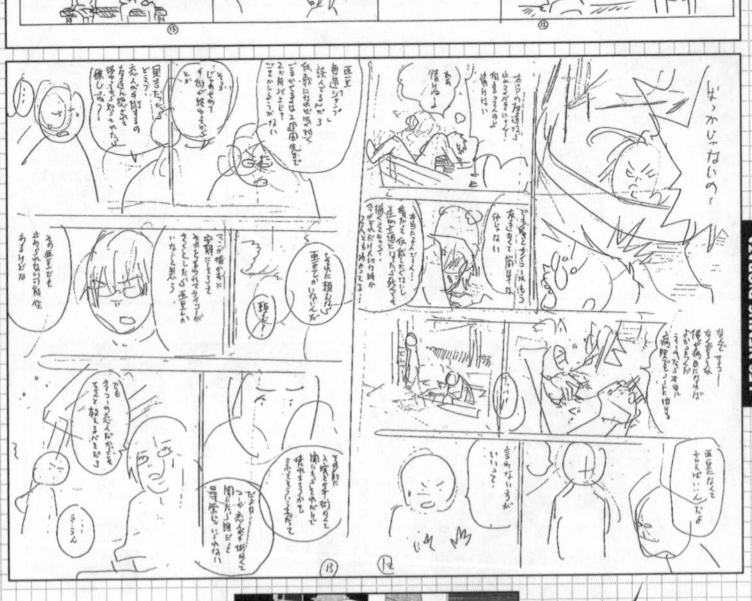

LES NEMUS D'OBATA

Les planches terminées !

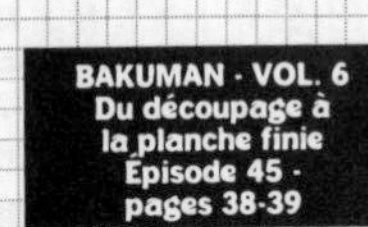

BAKUMAN · VOL. 6
Du découpage à la planche finie
Épisode 45 - pages 38-39

SI UNE PERSONNE EST CAPABLE DE LE CONVAINCRE D'ARRÊTER DE DESSINER, ÇA NE PEUT ÊTRE QUE TOI, AZUKI.
MASHIRO...
OUI ?
TU VAS D'ABORD GUÉRIR AVANT DE TE REMETTRE À DESSINER, N'EST-CE PAS ?
!

Page 46
EXPRESSIVITÉ ET COLLABORATION

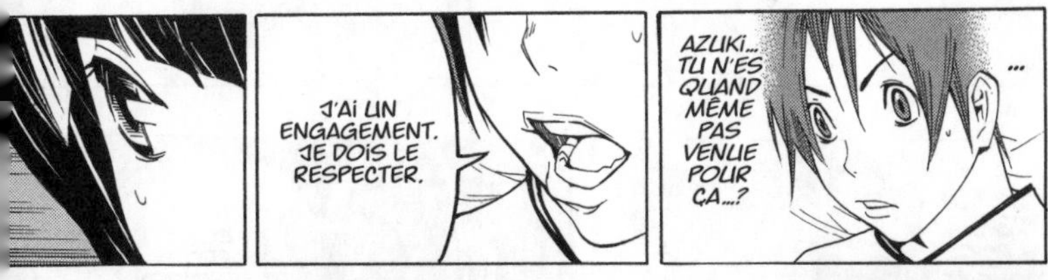

...
AZUKI... TU N'ES QUAND MÊME PAS VENUE POUR ÇA...?
J'AI UN ENGAGEMENT. JE DOIS LE RESPECTER.

QUE PUIS-JE LUI DIRE...?

SHUJIN... TU ARRIVES AVEC LES PLANCHES, OUI ?! À MOINS QU'IL NE SOIT MÊLÉ À ÇA, LUI AUSSI...?

JE VEUX QUE TU ME PROMETTES DE NE PLUS DESSINER TANT QUE TU NE SERAS PAS GUÉRI, TANT QUE TU NE SERAS PAS SORTI DE L'HÔPITAL...
SINON, JE VAIS TE DÉTESTER.

...
SI TU ME DÉTESTES POUR SI PEU, ALORS, VAS-Y, NE TE GÊNE PAS.

JE NE PARTIRAI PAS TANT QUE TU NE M'AURAS PAS DIT QUE TU NE DESSINERAS PAS...
FAIS CE QUE TU VEUX.
JE T'ASSURE QUE JE VAIS TE DÉTESTER.
FAIS CE QUE TU VEUX.

CE N'EST PAS LOYAL...
TU DIS CELA PARCE QUE TU SAIS PERTINEMMENT QUE JE NE PEUX PAS TE DÉTESTER.

C'EST TOI QUI N'ES PAS LOYALE EN PRÉTENDANT FAIRE QUELQUE CHOSE DONT TU TE SAIS INCAPABLE.

...
OUI... PARDON... TU AS RAISON... CELA FAIT HUIT ANS QUE JE T'AIME. JE DEVRAIS SAVOIR QUE JE NE PEUX PAS TE DÉTESTER COMME ÇA.

...!
C'EST LA PREMIÈRE FOIS QUE JE L'ENTENDS PRONONCER LE VERBE "AIMER"...

HEIN ? HUIT ANS ?
OUI... DEPUIS LA QUATRIÈME ANNÉE D'ÉCOLE PRIMAIRE.
MOI, ÇA REMONTE SEULEMENT À LA SIXIÈME ANNÉE D'ÉCOLE PRIMAIRE, LORS DE LA COMPÉTITION DE NATATION OÙ JE T'AI REMARQUÉE...
MOI AUSSI, JE M'EN SOUVIENS... JE T'AVAIS BEAUCOUP REGARDÉ...
MAIS LA PREMIÈRE FOIS, C'ÉTAIT EN QUATRIÈME ANNÉE, LE JOUR DE LA FÊTE MUNICIPALE.
TE RAPPELLES-TU TES DESSINS QUI ÉTAIENT SOUVENT AFFICHÉS DANS LA SALLE MUNICIPALE CENTRALE ?
C'EST VRAI QUE CELA ARRIVAIT FRÉQUEMMENT...
*愛鳥週間
* MAGAZINE AI-TORI.
ON Y VA, MIHO.
BONBON À LA POMME !
MAMAN, MOI, J'ADORE CE DESSIN.
...
!

ÉCOLE PRIMAIRE MEISÔ
4e ANNÉE
MORITAKA MASHIRO

J'ai dessiné en pensant que ce serait bien s'il y avait plein d'oiseaux et de nature partout. Derrière, c'est l'étang du sanctuaire Yakusa !

*愛鳥週間ポスターコンクール

MASHIRO... NOBUHIRO SE SERAIT MARIÉ, LUI AUSSI...
IL AURAIT UN FILS DE L'ÂGE DE MIHO...?
N'AVAIT-IL PAS UN GRAND FRÈRE ?

* CONCOURS D'AFFICHES DU MAGAZINE AI-TORI-ŒUVRES SÉLECTIONNÉES.

IL EST DOUÉ, CE GARÇON. MOI AUSSI, J'AIME BIEN CE DESSIN.
SON PRÉNOM, C'EST MORITAKA, MAIS TOUT LE MONDE L'APPELLE SAIKÔ. C'EST MARRANT.
HA ! HA ! HA !
SAIKÔ ! ILS ONT ENCORE AFFICHÉ UN DE TES DESSINS !
J'Y PEUX RIEN SI JE SUIS DOUÉ...
TAP
TAP

PLUS TARD, TU VEUX DEVENIR MANGAKA ? CE N'EST POURTANT PAS TON STYLE DE DESSIN...
IMBÉCILE ! CE SONT LES BASES QUI COMPTENT ! LE STYLE, POUR L'INSTANT, ON S'EN FICHE.
ALLEZ ! DÉPÊCHONS-NOUS D'ALLER À LA COMPÉTITION DE BATEAUX EN CARTON !
D'ABORD, JE VEUX ALLER PISSER. ON A ENCORE LE TEMPS...

C'EST APRÈS AVOIR VU CE DESSIN QUE J'AI COMMENCÉ À BEAUCOUP PENSER À TOI.
201
AZUKI... POURQUOI ME PARLES-TU DE CELA MAINTENANT ?
PAR LA SUITE, NOS ÉCOLES ÉTAIENT VOISINES. ALORS, JE T'AI SOUVENT APERÇU LE MATIN OU LE SOIR SUR LE CHEMIN VERS L'ÉCOLE OU SUR CELUI DU RETOUR...
TU TE RAPPELLES LA PAPETERIE OOBAYASHI ? JE T'Y AVAIS VU UNE FOIS PAR HASARD.
文具
林文具店*
C'EST LE MÊME COMPAS QU'UTILISE MON ONCLE !
AVEC DE L'ENCRE, ON PEUT AUSSI DESSINER !
4 500 YENS*... JE TE RAPPELLE QU'ON EST VENUS ACHETER UN COMPAS POUR LE COURS DE MATH...
JE TE DIS QUE C'EST CE QU'UTILISENT LES MANGAKAS PROFESSIONNELS ! J'EN AI TROP ENVIE !
4800
YAMA, TU AS COMBIEN SUR TOI ? MOI, JE N'AI QUE 500 YENS.
JE NE RISQUE PAS D'AVOIR 4 000 YENS... PRENDS-EN UN À 200 YENS, COMME TOUT LE MONDE.
KAYA, TU AS DE L'ARGENT SUR TOI ?
HEIN ? JE DOIS AVOIR 150 YENS... POURQUOI ?
MOI, JE N'AI QUE 1 000 YENS, ÇA NE SUFFIT PAS...
POUR QUOI FAIRE ?
TES YEUX, MASHIRO, BRILLAIENT LITTÉRALEMENT EN VOYANT CE COMPAS. JE T'AI TROUVÉ TRÈS BEAU.
VU QUE JE VOULAIS DEVENIR DOUBLEUSE, C'EST PEUT-ÊTRE AUSSI LE FAIT QUE TU VEUILLES DEVENIR MANGAKA QUI M'A ATTIRÉE.

* PAPETERIE OOBAYASHI.

* ENVIRON 37 EUROS.

À LA COMPÉTITION DE NATATION, JE NE T'AI PAS QUITTÉ DES YEUX POUR QUE TU COMPRENNES MES SENTIMENTS À TRAVERS MON REGARD QUI TE DISAIT "JE T'AIME".
DÈS LORS, TOUS LES JOURS, LE MATIN ET L'APRÈS-MIDI, SUR LA ROUTE VERS L'ÉCOLE OU SUR CELLE DU RETOUR, JE REGARDAIS TOUJOURS SI JE NE TE VOYAIS PAS.
AZUKI...!
PUIS, ON EST ENTRÉS TOUS LES DEUX DANS LE MÊME COLLÈGE ET, EN TROISIÈME ANNÉE, ON S'EST ENFIN RETROUVÉS DANS LA MÊME CLASSE... J'ÉTAIS SI HEUREUSE...
C'EST ALORS QUE TU ES SOUDAINEMENT VENU CHEZ MOI ET QUE TU M'AS DIT...
... "SI NOTRE RÊVE SE RÉALISE, ACCEPTE DE M'ÉPOUSER"...
C'EST ABSOLUMENT INCROYABLE, NON ?
J'AI BIEN CRU EN MOURIR TELLEMENT J'ÉTAIS HEUREUSE.
MAIS SI JE MOURAIS, NOS RÊVES NE SE RÉALISERAIENT PAS...
OUI, JE T'AIME DEPUIS QUE J'AI 10 ANS...

AUJOURD'HUI, TU ES IRREMPLAÇABLE POUR MOI.
ALORS, JE VOUDRAIS QUE TU NE DESSINES PLUS TANT QUE TU N'ES PAS SORTI DE L'HÔPITAL.
...
...
MA... MASHIRO...
LES MANGAS COMPTENT PLUS QUE MOI POUR TOI ?

C'EST INCOMPARABLE...
BIEN ÉVIDEMMENT, LES DEUX COMPTENT...
CLAC
カチャ
MAIS, PUISQUE TU POSES LA QUESTION COMME ÇA...

... ALORS, JE DIRAIS QUE LES MANGAS COMPTENT DAVANTAGE.
AH ! MASHIRO...

ON S'EST REVUS...
BEN OUI... TU ALLAIS RESTER ICI JUSQU'À CE QUE JE TE DISE QUE JE NE DESSINERAIS PAS, N'EST-CE PAS ?
J'AURAIS FINI PAR PARTIR À LA FIN DE L'HEURE DES VISITES...
JE T'AURAIS FORCÉMENT VUE AVANT CELA EN ALLANT AUX TOILETTES.

ON AURAIT FERMÉ LES YEUX... OU ALORS J'AURAIS CHANGÉ D'ENDROIT JUSTE LE TEMPS QUE TU PASSES...

QU'EST-CE QUE JE RACONTE, MOI ?
PARDON.

JE VAIS DESSINER, ÇA IRA. NE T'INQUIÈTE PAS.
...!

LE MANGA D'ASHIROGI SENSEI VA ÊTRE INTERROMPU... DIRE QU'AU N° 32 "TRAP" DEVAIT FAIRE LA COUVERTURE DU MAGAZINE AVEC DES PAGES COULEUR. QUEL DOMMAGE...!
SAT
OUI... À LA RÉDACTION DU JUMP, C'EST LE BRANLE-BAS DE COMBAT...
1にーぶま
* NIIZUMA.
JE ME CREUSAIS LA TÊTE POUR DESSINER UNE BONNE HISTOIRE QUI RÉSISTERAIT À LEURS PAGES COULEUR.
JE VOULAIS QU'ON S'AFFRONTE.
IL EST MALADE, ON N'Y PEUT RIEN.
JE VEUX ALLER LE VOIR. VOUS SAVEZ DANS QUEL HÔPITAL IL EST ?
IL ME SEMBLE QUE C'EST L'HÔPITAL MUNICIPAL...
OUI, L'HÔPITAL MUNICIPAL DE YAKUSA.
O.K., J'Y VAIS. POUR LES PLANCHES, PAS DE PROBLÈME, J'AI DE L'AVANCE.
HEIN ? QUOI ? ATTENDS, JE T'ACCOMPAGNE.
ZOOM
MERCI. JE NE COMPRENDS RIEN AU TRAIN.

でんわ
SHÛJIN...
AH ! C'EST TOI ?

C'EST BIEN, LES MANGAS, HEIN ?
?

* TÉLÉPHONE.

LÀ, JE ME SENS UN PEU COMME JOE* LORSQU'IL S'EST DIRIGÉ POUR LA DERNIÈRE FOIS VERS LE RING.
HEIN ?

ÇA VEUT DIRE QU'AZUKI NON PLUS N'A PAS RÉUSSI À LE RAISONNER...
RENONCE À DESSINER ICI.
LES LECTEURS ATTENDENT. JE DOIS DESSINER.
MASHIRO !
VLAM
C'EST SUR LE RING QUE JOE A JETÉ SES DERNIÈRES FORCES...

JE SUIS SUPEREXCITÉ ET HYPERMOTIVÉ ! DÉPÊCHE-TOI D'APPORTER LES PLANCHES !
...

IMBÉCILE !! SI TU ES VRAIMENT SON AMI, TU AS LE DEVOIR DE L'EMPÊCHER DE FAIRE ÇA ! C'EST MINABLE CE QUE TU FAIS !

* YABUKI JOE, PERSONNAGE DU CÉLÈBRE MANGA "ASHITA NO JOE" DE TETSUYA CHIBA SUR UN SCÉNARIO DE ASAO TAKAMORI.

C'EST BON, J'AI COMPRIS ! JE NE T'EMPÊCHERAI PAS DE DESSINER, JE VAIS T'AIDER !
J'AI PARLÉ À AZUKI ! PARDON !!

C'EST DONC BIEN TOI QUI AS MOUCHARDÉ...
À CAUSE DE TOI, NOTRE PROMESSE DE NE PAS NOUS REVOIR A ÉTÉ ROMPUE...
SI TU VEUX QUE JE TE PARDONNE, APPORTE-MOI VITE LES PLANCHES.
OUI...

...

PUISQU'ON S'EST VUS, ENTRE...
MERCI...

MORITAKA...
ARGH... MAMAN !
?

C'EST ...
... MA MÈRE.
JE SUIS MIHO AZUKI.
UNE CAMARADE DE CLASSE DEPUIS LE COLLÈGE... C'EST UNE AMIE... MA PETITE AMIE ?
OUI...
JE NE SAIS PAS TROP CE QUE JE PEUX DIRE...
MADEMOISELLE, VOUS ÊTES BIEN TROP JOLIE POUR MORITAKA...
JE NE SUIS PAS SÛRE QU'AVOIR DES PALPITATIONS DANS TON ÉTAT SOIT RECOMMANDÉ... (NON ?)
NON...
"NON"...

MAMAN, JE SUIS DÉSOLÉ, TU VIENS À PEINE D'ARRIVER, MAIS SI JE POUVAIS RESTER SEUL AVEC MIHO...
TAC!
OUI, OUI, J'AI COMPRIS. APPELLE-MOI SI JAMAIS IL TE MANQUE ENCORE QUELQUE CHOSE.
MIHO, JE COMPTE SUR VOUS POUR LE SURVEILLER. JE SUIS SÛRE QU'IL NE POURRA PAS S'EMPÊCHER DE DIRE QU'IL VEUT DESSINER ICI.
AH... OUI...
...
ELLE EST GEN-TILLE, TA MA-MAN...
PAS TANT QUE ÇA...

CRIIII
MORITAKA A UNE PETITE AMIE... MOI QUI CROYAIS QU'IL N'AIMAIT QUE LES MANGAS...

GORO
GORO
LET'S HOSPITAL !*
NIIZUMA ! TIENS-TOI BIEN, C'EST UN HÔPITAL ICI !

* EN ANGLAIS DANS LE TEXTE.

SLAM
ASHIROGI SENSEI, C'EST MOI !
EIJI !
!

TU FAIS LES COULEURS DE TES PLANCHES, HEIN ?
OUI.
COPIC

...
YÛJIRÔ, ON S'EN VA.
MAIS ON VIENT À PEINE D'ARRIVER...
JE SUIS RASSURÉ. IL A L'AIR D'ALLER BIEN, ET JE NE VEUX PAS GÊNER SON TRAVAIL.
MAIS JE SUIS CONTENT D'ÊTRE VENU.
SALUT !
ZWIIING
DIS... LA JOLIE FILLE QUI ÉTAIT LÀ, C'EST SA PETITE AMIE ? JE PENSE QUE C'EST PLUTÔT CELLE DE TAKAGI...
J'AI ENTENDU DIRE QU'ELLE LES AIDAIT À LEUR ATELIER...
YÛJIRÔ, VOUS ÊTES UN IMBÉCILE. C'EST LE PORTRAIT CRACHÉ DE L'HÉROÏNE DANS "TRAP", AMI.
ELLE EST D'AILLEURS PLUS JOLIE QU'AMI.
AH OUI...? JE SUIS UN IMBÉCILE...
EXACTEMENT. J'AI DU MAL À CROIRE QUE VOUS TRAVAILLEZ AU JUMP. QU'EST-CE QUE VOUS LISEZ CHAQUE SEMAINE ?
BON ! POUR L'INSTANT, IL Y A PLUS IMPORTANT...
BIP ! BIP !

MIURA ? QU'EST-CE QUE TU FABRIQUES ?
HEIN ? BEN, JE CHERCHE UN MANGA POUR REMPLACER "TRAP"...
FIGURE-TOI QUE MASHIRO EST EN TRAIN DE DESSINER À L'HÔPITAL !
QUOI ?!
J'AI COMPRIS, J'Y VAIS ! YÛJIRÔ, VOUS REPARTEZ ?

CRAT ! CRAT !
TROIS ANS QUE JE N'AVAIS PAS VU AZUKI... ELLE A MÛRI... ENFIN, ELLE EST ENCORE PLUS BELLE...
...
...
BON ! PEUT-ÊTRE QUE JE GÊNE EN FAIT... ÇA FAIT LONGTEMPS QUE VOUS NE VOUS ÊTES PAS VUS...
NON, RESTE LÀ ! J'AI BESOIN QUE QUELQU'UN FASSE LE GUET, ET PUIS, EN TÊTE À TÊTE, C'EST RUDE...
"C'EST RUDE"... EH BEN...
AH... PAS POUR TOI ? TU AS BIEN MÛRI, AZUKI... MOI, JE SUIS TELLEMENT GÊNÉ QUE JE NE PEUX PAS TE REGARDER...
BON ! SI AZUKI PRÉFÈRE QU'ON SOIT TOUS LES DEUX, O.K... JE LUI DEMANDERAI DE FAIRE LE GUET...
NON, TAKAGI, RESTE JUSQU'À CE QUE JE PARTE.
BEN QUOI ? FAUT SAVOIR...

AIDE-MOI À RAISONNER MASHIRO.
IMPOSSIBLE...
...
C'EST UNE DÉCISION D'HOMME...
C'EST POURTANT TOI QUI M'AS DEMANDÉ DE LE CONVAINCRE DE NE PAS DESSINER ICI... ALORS, POURQUOI...?
JE SUIS SÛR QUE, TOI AUSSI, TU RESSENS LA MÊME CHOSE QUE MOI LORSQUE TU REGARDES SAIKÔ QUI DESSINE.

IL SE DONNE BEAUCOUP DE MAL, JE VOUDRAIS LE LAISSER FAIRE, MAIS...
LE DOCTEUR A DIT QU'IL FALLAIT QU'IL SE REPOSE, NON ?

TIENS... C'EST LA PREMIÈRE FOIS QUE JE VOIS MASHIRO EN TRAIN DE DESSINER...
IL EST TRÈS BEAU QUAND IL DESSINE, MAIS...
SHÛJIN, TU ME PRÉVIENS SI TU VOIS VENIR UNE INFIRMIÈRE, HEIN ?
MOI, C'EST PLUTÔT DE VOIR DÉBARQUER MIYOSHI QUI ME FOUT LA TROUILLE...
AH!

MONSIEUR MIURA !
CACHE LES PLANCHES !

POURQUOI DONC ? AU CONTRAIRE, C'EST LE MOMENT DE LUI MONTRER QU'ON A TENU NOTRE ENGAGEMENT ET QU'ON NE SERA PAS EN RETARD.
AH... OUI...
D'ACCORD...

...
BONJOUR !
J'AI TERMINÉ L'ENCRAGE DU CHAPITRE 18, ET JE POURRAI VOUS DONNER À TEMPS LES PAGES EN QUADRI DU CHAPITRE 19.

LE CHAPITRE 18 POURRA ÊTRE PUBLIÉ COMPLÈTEMENT...

MÊME À L'HÔPITAL, JE PEUX DESSINER. VOUS POUVEZ ÊTRE RASSURÉ.
VOUS POUVEZ NOUS FAIRE CONFIANCE À L'AVENIR : ON RESPECTERA LE PLANNING.

L'OPÉRATION LE BLOQUERA UN JOUR... DEUX OU TROIS JOURS PLUS TARD, IL POURRAIT S'Y REMETTRE...
QUAND JE LE VOIS DESSINER, ÇA ME FAIT MAL AU COEUR DE L'EN EMPÊCHER...
NON...
LA PRIORITÉ, C'EST LA SANTÉ DE L'AUTEUR. TU OBÉIRAS AUX ORDRES DU MÉDECIN, ET NON PAS À LA VOLONTÉ DE MASHIRO.
AUJOURD'HUI, MON TRAVAIL, C'EST DE L'EMPÊCHER DE DESSINER...

UUH...
!
MASHIRO !?
APPELONS UNE INFIRMIÈRE.
ÇA VA ALLER... C'EST NORMAL, AVANT L'OPÉRATION...
LAISSEZ-MOI CONTINUER À DESSINER.
UUUH...
NON, ÇA NE VA PAS !
CLANG
TAKAGI, APPELLE L'INFIRMIÈRE.
SAT
ÇA VA...
LE BOUTON POUR APPELER L'INFIRMIÈRE EST PRÈS DU LIT !
AH BON ? C'EST LEQUEL ?
ARRÊTEZ !

MASHIRO DIT QUE ÇA VA.
TAKAGI, SI TU AS APPORTÉ LES PLANCHES, C'EST QUE TU ÉTAIS PRÊT À LE LAISSER DESSINER QUOI QU'IL ARRIVE, N'EST-CE PAS ?
SI TU VOULAIS VRAIMENT L'EMPÊCHER DE DESSINER, IL NE FALLAIT PAS VENIR ICI AVEC LES PLANCHES. "C'EST UNE DÉCISION D'HOMME"... TU PARLES !
AZUKI...
VOUS AVEZ VU LE MAL QU'IL SE DONNE POUR DESSINER ?
ACCROCHE-TOI, MASHIRO. JE CROIS EN TOI. JE SAIS QUE TU ES CAPABLE DE DESSINER SANS T'ARRÊTER.
RÉALISE NOS RÊVES.
SAT
OUI...
...
COMMENT OSERAIS-JE LUI DIRE DE NE PAS DESSINER DANS CES CONDITIONS...?

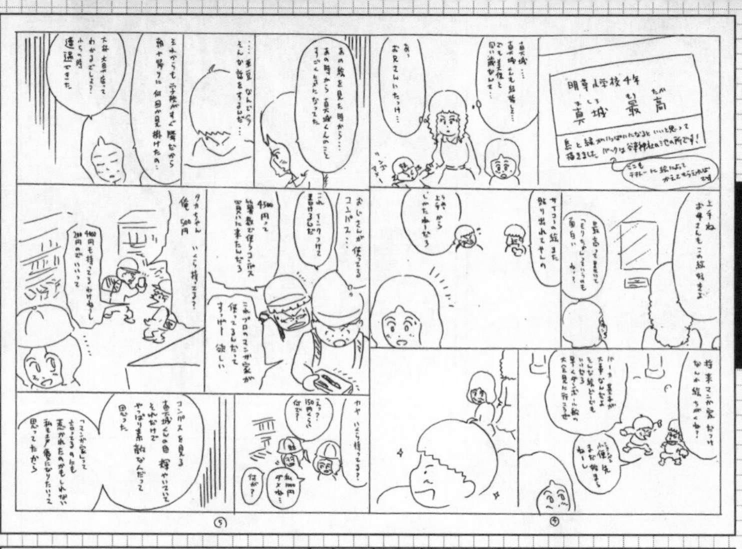

LES NEMUS D'OHBA

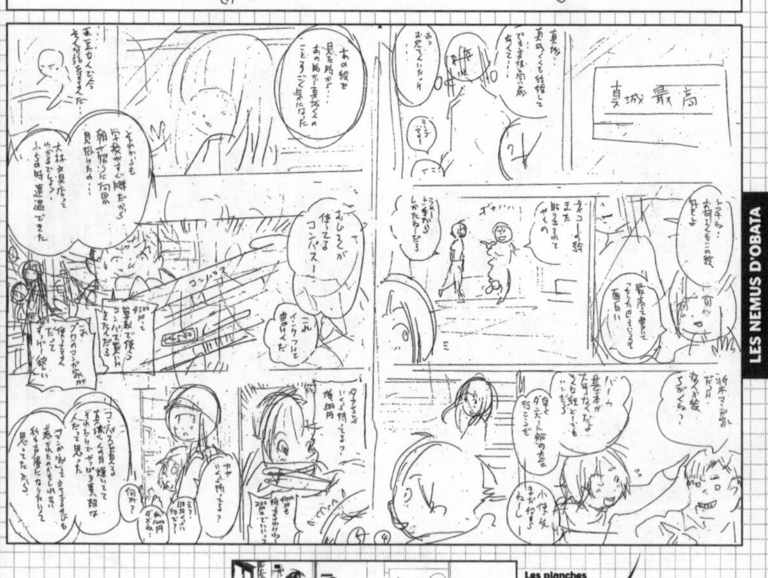

LES NEMUS D'OBATA

Les planches terminées !

BAKUMAN - VOL. 6
Du découpage à la planche finie
Épisode 46 - pages 50-51

ACCROCHE-TOI, MASHIRO. JE CROIS EN TOI.
JE SAIS QUE TU ES CAPABLE DE DESSINER SANS T'ARRÊTER.
RÉALISE NOS RÊVES.
OUI...
Page 47 PARADOXE ET RAISON

...
COMMENT OSERAIS-JE LUI DIRE DE NE PAS DESSINER DANS CES CONDITIONS...?
AZUKI...
OUI ?

ÇA VA
ALLER,
MAINTENANT.
PARDON !
...

MASHIRO,
TAKAGI,
JE VAIS
ÊTRE
FRANC
AVEC
VOUS...
LA RÉDACTION
EST EN TRAIN
DE S'ORGANISER
POUR FAIRE
UNE PAUSE DE
VOTRE SÉRIE AU
CHAPITRE 19.

!

MAIS
ENFIN...!

ON NE
FERA PAS
DE PAUSE.

C'EST
HORS DE
QUESTION.

ENTENDU. JE VAIS FAIRE PART DE TON SENTIMENT À LA RÉDACTION.
JE VAIS EXPLIQUER CLAIREMENT QUE JE TE CROIS CAPABLE DE DESSINER PENDANT TON HOSPITALISATION.
OUI !
ON COMPTE SUR VOUS !
DANS 20 MINUTES, L'HEURE DES VISITES SERA TERMINÉE... SAIKÔ, NE FORCE PAS TROP ET DORS CE SOIR.
OUI... LES COULEURS SERONT FINIES DANS QUELQUES HEURES...
VU QUE JE N'AI PAS BESOIN D'ALLER EN COURS, J'AI DU TEMPS POUR DORMIR.
SAT!
SAT!
DIS... J'ESPÈRE QUE LES NEMUS DU CHAPITRE 19 SONT PRÊTS POUR QUE JE PUISSE LES METTRE AU PROPRE DEMAIN, HEIN ?

TU N'AURAS PAS À TE DONNER CETTE PEINE. J'ARRIVE À LES COMPRENDRE DANS L'ÉTAT OÙ ILS SONT.
AVEC TAKAGI, ON FERA COMME D'HABITUDE ET ON S'ARRANGERA POUR QUE TU AIES LES NEMUS LE SAMEDI POUR FAIRE TES PLANCHES.
CLAC
BON ! NOUS, ON VA RENTRER.
HEIN ? OUI, DE TOUTE FAÇON, IL NE RESTE PLUS QUE 20 MINUTES. INUTILE D'ATTENDRE.
VOUS POUVEZ BIEN RESTER EN TÊTE À TÊTE UN PETIT QUART D'HEURE, SAIKÔ.
AH ! JE VOIS...
...

C'EST BIEN SHÛJIN, ÇA... DE QUOI SE MÊLE-T-IL ?
...

JE VIENDRAI AUSSI SOUVENT QUE POSSIBLE, TOUS LES JOURS.

POUR-QUOI ?
PARCE QUE JE M'INQUIÈ-TE...
EN PLUS, TU NE PEUX PAS ENVOYER DE MAILS.

DÈS QU'ON MET UN PIED DEHORS, ON PEUT UTILISER NOS TÉLÉPHO-NES...
MÊME DANS LA COUR INTÉRIEURE... IL SUFFIT DE SORTIR... TOUT LE MONDE LE FAIT... ALORS, TU N'AS PAS À T'EN FAIRE, JE T'ASSURE.
...!
TAC !
ÇA VA PEUT-ÊTRE TE PARAITRE PARADOXAL AVEC CE QUE J'AI DIT, MAIS...
... JE SUIS CONTENTE DE TE VOIR.

AZUKI...
SI ON DIT QUE C'EST JUSTE PENDANT TON HOSPITALISATION...
... JE PEUX VENIR TE VOIR ?
ÇA TE DÉRANGE ?
ZOON ZOON
ぶる ぶる
C'EST... COMMENT DIRE ? J'AI DES PALPITATIONS, JE ME SENS GÊNÉ, MAIS...
... TOUT COMME TOI, C'EST PEUT-ÊTRE PARADOXAL...
... MAIS QUAND JE SUIS SEUL AVEC TOI, JE ME SENS BIEN.

ÇA ME DONNE ENVIE DE RESTER AVEC TOI POUR TOUJOURS.
MOI AUSSI...
MAIS...
SAT! SAT!

... JUSQU'À CE QUE JE SORTE. O.K. ?
OUI...
MERCI. REMETS-TOI VITE SUR PIED.
JE DEVRAIS PEUT-ÊTRE REMERCIER CETTE MALADIE...
CETTE HOSPITALISATION VA SÛREMENT DEVENIR UN BON SOUVENIR D'INSTANTS PASSÉS AVEC TOI.
TAC !
CETTE HOSPITALISATION SERA UN BON SOUVENIR...
MASHIRO...
... ÇA T'EMBÊTE QU'ON NE SE REVOIE PAS AVANT D'AVOIR RÉALISÉ NOS RÊVES ?
CLAC
NON, CE N'EST PAS ÇA. IL M'ARRIVE DE TROUVER ÇA DUR À VIVRE, ET...
... QUAND JE SORTIRAI DE L'HÔPITAL, CE SERA PEUT-ÊTRE ENCORE PLUS DUR DE NE PLUS SE VOIR, MAIS...
... L'ENVIE DE TE REVOIR AU PLUS VITE, D'ÊTRE AVEC TOI, ME DONNERA DAVANTAGE DE COURAGE...
OUI, JE COMPRENDS...
ALORS... JUSQU'À CE QUE NOS RÊVES SE RÉALISENT...

QU'EST-CE QUE TU RACONTES, MIURA ?
JE VOUS DIS QUE JE PENSE QU'IL PEUT DESSINER ! ALORS, N'INTERROMPEZ PAS LEUR SÉRIE !
...
RÉDACTION
SHÔNEN JUMP
JUMP SQUARE
V JUMP
BON ! ON PEUT DÉCIDER DE PUBLIER EN ENTIER LE CHAPITRE DU NUMÉRO 31 QUE LES ASSISTANTS ONT BOUCLÉ, MAIS...
MERCI BEAUCOUP !
... EST-CE QUE TU AS L'AUTORISATION DU MÉDECIN POUR LE LAISSER DESSINER ?
NON...
DANS CE CAS, COMMENT VEUX-TU QUE J'ACCEPTE ?
...
DEMAIN, J'IRAI AVEC TOI À L'HÔPITAL. DE TOUTE ÉVIDENCE, TOUT SEUL, TU N'ES PAS DE TAILLE.
OUI...
AUTANT QU'IL VOIE LUI-MÊME LA DÉTERMINATION DE MASHIRO... ENSUITE, SI LE MÉDECIN NOUS AUTORISE À LE LAISSER DESSINER...

LE LENDEMAIN...
BONJOUR...
DOCTEUR, MERCI D'ÊTRE VENU.
CE QUE J'AIMERAIS QUE VOUS COMPRENIEZ, C'EST QUE LE LAISSER FAIRE ÇA EN CACHETTE LUI PROCURERA ENCORE PLUS DE STRESS NÉFASTE.
SI C'EST FAIT DE MANIÈRE RAISONNABLE, NOUS ACCEPTONS QUE LES PATIENTS FASSENT CE QU'ILS VEULENT. C'EST LA VÉRITÉ.
C'EST VRAI ?
DE MANIÈRE RAISONNABLE, OUI.
JE SERAI RAISONNABLE.
QU'EN DITES-VOUS ?
...
CLAC !

BONJOUR, MADAME.
...

SAT
BONJOUR. IL Y A LONGTEMPS QU'ON NE S'ÉTAIT VUS. J'ESPÈRE QUE VOUS ALLEZ BIEN.

HEIN ? VOUS LA CONNAISSEZ ? D'OÙ ?
LE MOMENT N'EST PAS OPPORTUN POUR EN PARLER.

JE SUIS PROFONDÉMENT DÉSOLÉ DE CE QUI EST ARRIVÉ. NOUS AVONS CONSCIENCE D'AVOIR MANQUÉ À NOS DEVOIRS.
NON...
MORITAKA ! TU VAS ARRÊTER TOUT DE SUITE DE DESSINER DANS TA CHAMBRE D'HÔPITAL.

MADAME... LE DOCTEUR VIENT DE DIRE QU'IL L'AUTORISAIT À LE FAIRE S'IL ÉTAIT RAISONNABLE...
ET VOUS IMAGINEZ VRAIMENT QU'IL LE SERA ?
...
MIEUX VAUT NE PAS TROP FORCER...
UN PEU DE REPOS, C'EST BIEN...
SAT
SAT

MONSIEUR SASAKI, C'EST BIEN CELA ? JE PEUX VOUS PARLER UNE MINUTE ?
MON MARI DIT QUE NOTRE FILS N'EST PLUS UN ENFANT...
... ET QUE NOUS DEVONS LE LAISSER SUIVRE LA ROUTE QU'IL A CHOISIE, MAIS...
... POUR MOI, C'EST DIFFI-CILE...
...

NE VOUS EN FAITES PAS. NOUS ALLONS VEILLER SUR LUI.
MASHIRO ! JE COMPTE SUR TOI POUR NE PAS TROP FORCER. DÉSOLÉ DE T'AVOIR DÉRANGÉ.
MIURA, ON Y VA.
AH ! OUI.
MERCI, AU REVOIR.
NOUS NOUS PRÉPARONS À UNE INTERRUPTION DE "TRAP" AU N° 32 DU JUMP. IL FAUT EN REDISCUTER AVEC LE DIRECTEUR ADJOINT.
MIURA, TU PARTICIPERAS À LA DISCUSSION, TOI AUSSI.
MERCI BEAU-COUP.

MONSIEUR YOSHIDA, JE CROIS QUE JE DOIS ALLER RENDRE VISITE À ASHIROGI SENSEI À L'HÔPITAL.
D'OÙ TIENS-TU CETTE INFO ? J'AI POURTANT VEILLÉ À CE QU'ELLE N'ARRIVE PAS JUSQU'À TOI...
NE COMPTEZ PAS SUR MOI POUR VOUS LE DIRE. JE SUIS SÛR QUE VOUS COUPERIEZ CES CONTACTS AUSSI. AUJOURD'HUI, MÊME NIIZUMA SENSEI NE RÉPOND PLUS À MES APPELS...
KAZUYA HIRAMARU
INTERDIT AUX COLPORTEURS ET À M. YOSHIDA !!
QUOI QU'IL EN SOIT, ASHIROGI M'A DÉJÀ REÇU DANS SON ATELIER. NOUS NOUS CONNAISSONS, ET ALLER LUI RENDRE VISITE EST LA MOINDRE DES POLITESSES EN TANT QU'HOMME DE SOCIÉTÉ.
DANS QUEL HÔPITAL EST-IL ?
QUI T'A DIT QU'UN MANGAKA ÉTAIT ENCORE UN HOMME DE SOCIÉTÉ ?
C'EST... C'EST HORRIBLE... ALORS, JE NE FAIS DÉJÀ PLUS PARTIE DE LA SOCIÉTÉ...?!
JE L'IGNORAIS !
JE VOIS... DÉSORMAIS, JE SUIS UN OISEAU EN CAGE... OU PLUTÔT UN CHIEN AU BOUT DE VOTRE LAISSE... UN ESCLAVE ENCHAÎNÉ... JE N'AI PLUS DROIT D'AGIR EN ÊTRE CIVILISÉ...
OH ! LA FERME, ÇA VA... DÈS QUE JE SERAI PARTI, TU VAS COURIR À LA RECHERCHE DE SON HÔPITAL, HEIN ?
DANS CE CAS, AUTANT Y ALLER SANS S'ATTARDER EN DÉBUT DE SEMAINE. À UNE CONDITION : JE VIENS AUSSI, ET ON REVIENT ICI AUSSITÔT !
EN COUP DE VENT... QUELLE IMPOLITESSE...!
LA FERME !!

IL PARAIT QUE MASHIRO EST HOSPITALISÉ ?
OUI, ET M. AIDA M'A DIT QUE "TRAP" SERAIT INTERROMPU AU N° 32.
ILS DOIVENT S'ARRÊTER JUSTE AU MOMENT OÙ LE PUBLIC COMMENCAIT À LES SUIVRE... QUEL MANQUE DE CHANCE...! EIJI EST DÉJÀ ALLÉ LE VOIR... MOI, JE PENSE Y ALLER LUNDI ! ON Y VA ENSEMBLE ?
IMPOSSIBLE... CHAQUE SEMAINE, JE BOSSE À FOND SANS LA MOINDRE MARGE...
OH... QUELLE FROIDEUR...! SI J'INVITE PRINCESSE AOKI, JE SUIS SÛR QU'ELLE VIENDRA.
QUOI ?! AOKI AUSSI ?!
NON, NON... JE TE DIS QUE JE NE PEUX PAS, JE NE PEUX VRAIMENT PAS. INUTILE DE ME TENTER AVEC CE GENRE D'ARGUMENTS.
HA ! HA ! DÉSOLÉ.
MIHO A FAIT ÇA ?
OUI. EN PLUS, ELLE A POSÉ SA MAIN SUR CELLE DE SAIKÔ POUR L'AIDER...
MOI QUI PENSAIS QU'ILS NE SE TOUCHERAIENT PAS LES MAINS AVANT D'ÊTRE MARIÉS...

QU'EST-CE QUI LUI A PRIS ? NORMALEMENT, ELLE AURAIT DÛ L'ARRÊTER.
NON... POUR MOI, ÇA PROUVE UNE FOIS DE PLUS QU'ELLE AIME VRAIMENT SAIKÔ...
JE NE COMPRENDS RIEN À CE QUE TU DIS... SI ELLE L'AIME, ELLE DOIT L'ARRÊTER, NON ?
LE VÉRITABLE AMOUR, C'EST D'ACCEPTER TOUT CE QUE L'AUTRE SOUHAITE... PEUT-ÊTRE MÊME DE LUI APPORTER SON AIDE.
MOI, INQUIÈTE POUR SA SANTÉ, J'AURAIS ARRÊTÉ MASHIRO... IL Y A QUELQUE CHOSE QUI CLOCHE CHEZ MIHO...
JE T'AI DÉJÀ DIT QU'AZUKI EST UNE FILLE FORTE... DE PLUS, ELLE EST VRAIMENT TRÈS AMOUREUSE DE SAIKÔ.
C'EST VRAI QU'IL FAUT ÊTRE FORT POUR ACCEPTER DE NE PAS SE VOIR AVANT QUE LES RÊVES DE CHACUN SE RÉALISENT. MOI, JE NE POURRAIS PAS M'EMPÊCHER DE VOIR CELUI QUE J'AIME.
DU COUP, JE ME DEMANDE SI, CHEZ ELLE, CE N'EST PAS L'INVERSE DE L'AMOUR...
CELA DIT, ILS SE SONT VUS AUJOURD'HUI...
ILS SE SONT VUS, MAIS VONT-ILS POUVOIR FAIRE MACHINE ARRIÈRE ? IMAGINE QU'ILS S'EMBRASSENT À L'HÔPITAL... NE PLUS SE VOIR DEVIENDRAIT ALORS INSUPPORTABLE...
TOI, TU N'ES PAS UN PEU FOLLE ?
PARCE QU'ILS SE SERAIENT EMBRASSÉS, NE PAS SE VOIR DEVIENDRAIT INSUPPORTABLE ? JE NE SUIS PAS BIEN TON RAISONNEMENT...
AH... TAKAGI... TU NE COMPRENDS RIEN AUX FEMMES...
DE TOUTE FAÇON, CE N'EST PAS DEMAIN LA VEILLE QUE CES DEUX-LÀ VONT S'EMBRASSER.
VOILÀ ! LES NEMUS SONT PRÊTS.
MÊME S'IL Y A DES CORRECTIONS À FAIRE, DEMAIN, JE POURRAI LES REMETTRE À SAIKÔ.
ON A GARDÉ NOTRE RYTHME HABITUEL !

LUNDI ...
IL... IL EST HOSPITALISE ET IL DESSINE SES PLANCHES...
JE SUIS UN PEU À L'ÉTROIT, MAIS JE VEUX ÉVITER QUE NOTRE MANGA SOIT INTERROMPU.
BAM
REGARDE BIEN ! NE VOIS-TU PAS UN MANGAKA EXEMPLAIRE ?
TAC
SI...
VOUS ÊTES SA PETITE AMIE ? SA PERSÉVÉRANCE VOUS SÉDUIT-ELLE ?
SAT
...?!

OUI.
MONSIEUR YOSHIDA, NOUS ALLONS RENTRER, ET JE VAIS ME REMETTRE AU TRAVAIL. JE CROIS AVOIR FAIT UNE PETITE ERREUR D'APPRÉCIATION...
OUI. IL N'EST JAMAIS TROP TARD POUR EN PRENDRE CONSCIENCE, HIRAMARU.
BIEN ! AU MOINS, JE SAIS QUE CETTE SEMAINE J'AURAI MON CHAPITRE.

SAT
JE ME DEMANDAIS QUI POUVAIT BIEN ÊTRE LÀ... HIRAMARU SENSEI, LE FUGITIF...
FUKUDA !
VOICI FUKUDA, LE DESSINATEUR DE "KIYOSHI KNIGHT".
JE LUI EXPLIQUE PARCE QU'IL NE LIT PAS LE JUMP.
BONJOUR, JE SUIS HIRAMARU.
SALUT !
TAC
JE SUIS UN DE VOS GRANDS FANS. J'APPRÉCIERAIS DE CONNAITRE VOS COORDONNÉES, VOTRE LIEU DE TRAVAIL, ETC.
EH !
TU CONTINUES À DESSINER DEPUIS TON LIT D'HÔPITAL... MASHIRO, TU REMONTES DANS MON ESTIME.
JE N'AI PAS ENVIE DE PERDRE CONTRE VOUS TOUS.
ON DISAIT JUSTEMENT QUE C'ÉTAIT UN MANGAKA EXEMPLAIRE.
...
EN LISANT LE FAX ENVOYÉ PAR M. YOSHIDA, ON A BIEN RI.
HA ! HA ! HA !
EH BIEN ! C'EST TRÈS ANIME POUR UNE CHAMBRE D'HÔPITAL !

MONSIEUR LE RÉDACTEUR EN CHEF !
JE SUIS DÉSOLÉ, MAIS NOUS AVONS À PARLER À MASHIRO ET À TAKAGI. ALORS, SI VOUS VOULEZ BIEN NOUS LAISSER...

QUE VIENT FAIRE ICI LE RÉDACTEUR EN CHEF ?
ET ON PEUT SAVOIR POURQUOI ON DEVRAIT SORTIR ?
TAC
C'EST UNE DISCUSSION QUI NE VOUS REGARDE PAS.
SI J'EN JUGE PAR LA TRONCHE QUE TIRE M. MIURA...
... LE RESPONSABLE ÉDITO DE "TRAP", J'AI L'IMPRESSION QU'AU CONTRAIRE ÇA NOUS CONCERNE AUSSI.
...

MUTO ASHIROGI EST UN DE NOS CAMARADES.
UN CAMARADE... C'EST TOUCHANT.
BIEN SÛR, CELA SOUS-ENTEND QUE C'EST AUSSI NOTRE RIVAL.
...!

C'EST BON. VOUS N'AVEZ QU'À RESTER.

TAC
ガタ…

AZUKI, TOI AUSSI, RESTE.

METTONS-NOUS D'ACCORD : NOUS SOMMES DANS UN HÔPITAL. ALORS, QUOI QUE JE DISE, INTERDICTION DE CRÉER DE L'AGITATION.

NE ME DITES PAS...
PARCE QU'ON AURA ENVIE DE S'AGITER APRÈS VOUS AVOIR ÉCOUTÉ ?
SI JUSTEMENT... ET CELA DÉPASSE PEUT-ÊTRE MÊME CE QUE VOUS IMAGINEZ.
HIER SOIR, UNE RÉUNION S'EST TENUE POUR DÉCIDER DE LA SUITE À DONNER AU MANGA "TRAP".

LA SÉRIE "DÉTECTIVE MYSTIFICATEUR TRAP" SERA SUSPENDUE JUSQU'AU MOIS D'AVRIL DE L'ANNÉE PROCHAINE. AUTREMENT DIT, JUSQU'À CE QUE SES AUTEURS SORTENT DU LYCÉE.
SUSPENDUE...
JUSQU'EN AVRIL PROCHAIN ?!
QUE...?
ÇA NE ME DÉPLAIRAIT PAS FORCEMENT...
BAM
QU'EST-CE QUE VOUS RACONTEZ ?! C'EST INCOMPRÉHENSIBLE !
PAS SI FORT, CALME-TOI.

MAIS...
... POURQUOI ?
POUR-QUOI ?
TAC
JUSQU'À SA SORTIE D'HÔPITAL, JE COMPRENDRAIS, MAIS LÀ...
OUI ! POURQUOI JUSQU'EN AVRIL DE L'ANNÉE PROCHAI-NE ?

MONSIEUR MIURA, VOUS M'AVEZ POURTANT DIT SAMEDI QUE L'ON POUVAIT DESSINER CES NEMUS, NON ?!
JE... JE SUIS DÉSOLÉ... IL M'ÉTAIT IMPOSSIBLE DE VOUS EXPLIQUER CELA MOI-MÊME... PARDON...
EXPLIQUEZ-NOUS LA RAISON DE VOTRE DÉCISION POUR QU'ON LA COMPRENNE !
OUI, MASHIRO A RAISON. ON VOUS ÉCOUTE.

LA RAISON EST SIMPLE...
C'EST PARCE QUE TARÔ KAWAGUCHI EST MORT.

LES NEMUS D'OHBA

LES NEMUS D'OBATA

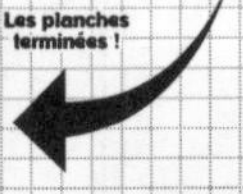

BAKUMAN - VOL. 6
Du découpage à la planche finie
Épisode 47 - pages 84-85

PARCE QUE TARÔ KAWAGUCHI EST MORT.
IL EST INDÉNIABLE QUE LA CAUSE DE CETTE MORT EST LIÉE AU MÉTIER TRÈS DUR DE MANGAKA.
TARÔ KAWAGUCHI ÉTAIT L'ONCLE DE MASHIRO.
Page 48
LA VIE ET LA MORT, ET LE CALME
FRENCH CURVE
SON ONCLE...
IL EST MORT ? À CAUSE DE SON MÉTIER TRÈS DUR DE MANGAKA...!?
OUI... C'EST CE QUI EST ARRIVÉ À QUELQU'UN QUI S'EST DONNÉ TANT DE MAL POUR OBTENIR DU SUCCÈS AVEC SES MANGAS QU'IL EN EST MORT...
ALORS, C'EST DE SON ONCLE QU'IL M'AVAIT PARLÉ... TARÔ KAWAGUCHI... CE NOM ME DIT QUELQUE CHOSE...
...

POUR PRENDRE CETTE DÉCISION, NOUS NOUS SOMMES MIS À LA PLACE DES PARENTS DE MASHIRO.
...
QUEL RAPPORT Y A-T-IL ENTRE...
... LA MORT DE TARÔ KAWAGUCHI ET NOTRE MANGA ?
C'EST VRAI, ÇA ! LUI, C'EST LUI, ET NOUS, C'EST NOUS ! C'EST TOTALEMENT INDÉPENDANT !
...!
TARÔ KAWAGUCHI ÉTAIT LE JEUNE FRÈRE DU PÈRE DE MASHIRO... IL N'EST PAS EXAGÉRÉ DE DIRE QU'IL A ÉTÉ VICTIME DU MANGA.
LA MÈRE DE MASHIRO EST INQUIÈTE, AU POINT DE VOULOIR QU'IL ARRÊTE TOUT DÉFINITIVEMENT.

ET C'EST NORMAL. PERSONNE N'A ENVIE DE PERDRE UN MEMBRE DE SA FAMILLE, UNE PERSONNE QUE L'ON AIME.
...

TAC
JE NE M'ARRÊTERAI PAS... JE VAIS DESSINER.
TARÔ KAWAGUCHI A CONTINUÉ À DESSINER SES PLANCHES MÊME AVEC 40° DE FIÈVRE, SOUS PERFUSION...
... MÊME AVEC UN TOUR DE REIN ET UNE INCAPACITÉ DE S'ASSEOIR.
IL N'A JAMAIS MANQUÉ À SES DEVOIRS, IL A TOUJOURS RENDU SON TRAVAIL À TEMPS POUR UNE PUBLICATION, ET IL DISAIT QUE C'ÉTAIT SA SEULE FIERTÉ.
MÊME SI CELA PEUT PARAÎTRE UN PEU DÉPASSÉ, RENDRE SES PLANCHES DANS LES TEMPS EST UNE ATTITUDE ADMIRABLE.
NÉANMOINS, CE N'EST PAS CE QUE NOUS EXIGEONS À TOUT PRIX.
CHAQUE AUTEUR EST LIBRE DE DESSINER, QUELLE QUE SOIT LA SITUATION DANS LAQUELLE IL SE TROUVE, MAIS, LORSQUE NOUS ESTIMONS QU'IL A BESOIN DE REPOS, ALORS, NOUS LUI DEMANDONS DE SE REPOSER.
PRÉSERVER LA SANTÉ DE L'AUTEUR RESTE LA PRIORITÉ.
VOUS DITES QUE JE SUIS LIBRE DE DESSINER SI J'EN AI ENVIE, ET C'EST EXACTEMENT CE QUE JE VEUX FAIRE !
POURQUOI SUSPENDRE LE MANGA SI JE DESSINE ?
PARCE QU'IL FAUDRAIT POUR CELA QUE LA RÉDACTION SOIT PRÊTE À PUBLIER DES PLANCHES SANS SE SOUCIER DES CONDITIONS DANS LESQUELLES ELLES ONT ÉTÉ RÉALISÉES.
PARLONS FRANCHEMENT.
LE FAIT QUE TU DESSINES MAINTENANT NOUS ENNUIE.

QUOI...?!
COMMENCE PAR TE SOIGNER.
MÊME S'IL GUÉRIT, VOUS MAINTIENDREZ LA SUSPENSION JUSQU'EN AVRIL PROCHAIN, HEIN ?
OUI.

VOUS LUI DITES DE SE SOIGNER, MAIS, MÊME GUÉRI, VOUS NE RECOMMENCEREZ PAS LA PUBLICATION DE SA SÉRIE TOUT DE SUITE. C'EST BIEN ÇA ?
...
EIJI NIIZUMA EST UN LYCÉEN DESSINATEUR DE GÉNIE... AVEC LUI, LA RÉDACTION A GOÛTÉ À QUELQUE CHOSE DE NOUVEAU ET ELLE A ALORS DÉCIDÉ D'ACCEPTER DE PUBLIER D'AUTRES LYCÉENS.
CEPENDANT, AVOIR UNE SÉRIE DANS UN HEBDOMADAIRE LORSQUE L'ON VA ENCORE AU LYCÉE N'EST PAS À LA PORTÉE DE TOUT LE MONDE...

NOUS AVONS COMMIS UNE ERREUR, NOUS LE REGRETTONS ET, DORÉNAVANT, NOUS NOUS ABSTIENDRONS DE LANCER DE NOUVEAUX AUTEURS AINSI.
VOUS VOUS ABSTIENDREZ ?! MAIS NOUS, ON VOUS PARLE D'UNE SÉRIE QUI A DÉJÀ COMMENCÉ, C'EST DIFFÉRENT ! C'EST VOUS QUI AVEZ DÉCIDÉ DE LANCER LEUR MANGA, NON ? ET C'EST COMME ÇA QUE VOUS ASSUMEZ CETTE RESPONSABILITÉ ?!
DANS CE CAS, J'ARRÊTE LE LYCÉE.
SAIKÔ...!

MOI AUSSI ! DE CETTE FAÇON, IL N'Y A PLUS DE PROBLÈME, N'EST-CE PAS ?!
MÊME SI VOUS FAITES ÇA, VOTRE SÉRIE ATTENDRA JUSQU'À AVRIL PROCHAIN !
MASHIRO ET TAKAGI FONT PREUVE DE LOGIQUE. CE QUI N'EST PAS VOTRE CAS... C'EST N'IMPORTE QUOI, VOTRE RAISONNEMENT.
JE VIENS POURTANT D'EXPLIQUER QU'ON SE METTAIT À LA PLACE DES PARENTS !
VOUS IMAGINEZ QUE VOS PARENTS VONT SE RÉJOUIR QUE VOUS QUITTIEZ LE LYCÉE POUR DESSINER DES MANGAS ?
ON NE VIT PAS POUR FAIRE PLAISIR À NOS PARENTS !
EXACTEMENT ! CE N'EST PAS POUR EUX QU'ON DESSINE DES MANGAS ! ON VIT NOTRE VIE !
NE SOYEZ PAS AUSSI PRÉSOMPTUEUX !!
BAM
SILENCE, S'IL VOUS PLAIT !
QU'EST-CE QUE VOUS FAITES ? ÉVITEZ D'ÉNERVER LES PATIENTS.
NOUS SOMMES SINCÈREMENT DÉSOLÉS.

集英*
JUSQU'AU MOIS D'AVRIL ?!

HIER, C'ÉTAIT DIMANCHE, MAIS ON A FAIT UNE RÉUNION EXTRAORDINAIRE, ET LA DÉCISION A ÉTÉ PRISE.

POURQUOI JUSQU'EN AVRIL ? C'EST BIZARRE, NON ?

* SHŪEISHA.

C'EST AUSSI CE QUE J'AI PENSÉ, ET J'AI POSÉ LA QUESTION AU RÉDACTEUR EN CHEF ADJOINT QUI M'A JUSTE RÉPONDU : "PARCE QUE CE SERAIT EMBÊTANT QU'IL MEURE."

HEIN ? POURQUOI ENVISAGER UN CAS AUSSI EXTRÊME ?

TARÔ KAWAGUCHI...
L'ONCLE DE MASHIRO...

"CE SERAIT EMBÊTANT QU'IL MEURE"... JE VOIS...

MAIS LES GARÇONS VONT-ILS COMPRENDRE CE GENRE D'ARGUMENT ? NON... AU CONTRAIRE, EN ENTENDANT CELA, L'ÉTAT DE MASHIRO VA S'AGGRAVER ENCORE PLUS.
C'EST VRAI QUE JUSQU'EN AVRIL, C'EST RUDE.

NON, CE N'EST PAS CE QUE JE VEUX DIRE...
?

AIDA, TARÔ KAWAGUCHI, VOUS LE CONNAISSEZ, N'EST-CE PAS ?
ÉVIDEMMENT. L'AUTEUR DE "LA LÉGENDE DES SUPERHÉROS", L'HOMME D'UN SEUL SUCCÈS.
...
POUR NE PAS VOIR SA CARRIÈRE SE LIMITER À CE SEUL SUCCÈS, IL A CONTINUÉ SANS CESSE À DESSINER DES NEMUS ET IL EST MORT ÉPUISÉ.
CE N'EST QU'UNE RUMEUR.
LÀ, ON A LA PREUVE QUE CE N'ÉTAIT JUSTEMENT PAS UNE RUMEUR.
COMMENT CELA ?
TARÔ KAWAGUCHI, NOBUHIRO MASHIRO DE SON VRAI NOM, ÉTAIT L'ONCLE DE MORITAKA MASHIRO.
...!
JE COMPRENDS MIEUX...
DANS CE CAS, ON NE PEUT RIEN Y FAIRE... VOILÀ L'EXPLICATION DE LA PHRASE DU RÉDACTEUR EN CHEF ADJOINT...
C'EST QUAND MÊME DÉGUEULASSE.
YÛJI-RÔ...
ON VA LUI INTERDIRE DE DESSINER JUSQU'EN AVRIL PARCE QU'IL EST LE NEVEU DE TARÔ KAWAGUCHI ?
JE SUIS ASSEZ D'ACCORD AVEC TOI.
ON N'Y PEUT RIEN. IMAGINEZ UN PEU QU'IL ARRIVE MALHEUR À MASHIRO... QU'EST-CE QU'ON DIT À LA FAMILLE ? NON, MOI, JE CROIS QUE NOS SUPÉRIEURS ONT PRIS LA BONNE DÉCISION...
NON... PERSONNE N'A TENU COMPTE DE CE QUE RESSENTENT LES DEUX AUTEURS.
OUI, C'EST UNE DÉCISION TYRAN-NIQUE !
QUOI ? QUOI ?
QUE SE PASSE-T-IL ?

DE TOUTE ÉVIDENCE, SI JE N'AVAIS PAS ÉTÉ LE NEVEU DE TARÔ KAWAGUCHI, VOUS N'AURIEZ PAS AGI AINSI, N'EST-CE PAS ?

...
OUI, EN EFFET.

!
C'EST DÉGUEU-LASSE...

CLAC

TAC

VOUS AVEZ VOS RAISONS, HEIN ?
ÇA NE SERT À RIEN DE DISCUTER.
HIRAMARU, OÙ VAS-TU ?
...!!
JE RENTRE CHEZ MOI. TOUT CE QUE JE PEUX FAIRE, C'EST DESSINER.
TAC
TAC
HIRAMARU SENSEI A RAISON.
ÇA NE SERT À RIEN DE DISCUTER.
...
MONSIEUR MIURA, VOUS NE VALEZ PAS MIEUX.
VOUS N'AVEZ PAS DIT UN MOT, VOUS ÉCOUTEZ SAGEMENT TOUT CE QUE DIT VOTRE SUPÉRIEUR, BRAVO !
JE SUIS CONTENT DE NE PAS VOUS AVOIR COMME RESPONSABLE.
MIURA N'Y EST POUR RIEN. AU CONTRAIRE, IL S'EST OPPOSÉ À CETTE DÉCISION JUSQU'AU BOUT.
C'EST MOI QUI AI PRIS LA DÉCISION.
UNE SUSPENSION JUSQU'AU MOIS D'AVRIL, POUR MOI, C'EST INACCEPTABLE.

ASHIROGI, À BIENTÔT.
...

JE TE LE RÉPÈTE ENCORE UNE FOIS : MÊME SI TU DESSINES, TU NE SERAS PAS PUBLIÉ AVANT AVRIL PROCHAIN.
PAR CONTRE, SI TU TE SOIGNES ET QUE TU FINIS NORMALEMENT TA SCOLARITÉ, JE TE PROMETS QUE LA PUBLICATION DE TA SÉRIE REPRENDRA.
TAC
MIURA, JE RENTRE...
MOI, JE VAIS RESTER.
BIEN...
TAC
TAC
MERDE !
JUSQU'EN AVRIL...
TAKAGI ! MASHIRO ! VOILÀ, VOUS SAVEZ TOUT !
JE N'AI AUCUN POIDS... JE N'AI RIEN PU FAIRE ! PARDON !
MONSIEUR MIURA...
TAC

... C'EST À MOI DE M'EXCUSER, PAS À VOUS.
SHÛJIN, MONSIEUR MIURA, AZUKI... SI JE N'ÉTAIS PAS TOMBÉ MALADE...
NON ! CE N'EST PAS DE TA FAUTE ! C'EST CELLE DU DIRECTEUR ÉDITORIAL QUI A TRANCHÉ...
OUI... ET CELLE DE MON IMPUISSANCE AUSSI...

CE QUE TU LUI AS DIT ?
J'IMAGINE QUE TU NE ME DIRAS PAS CE QUE C'ÉTAIT...
MASHIRO... PARDONNE-MOI, MAIS JE SUIS UN PEU SOULAGÉE.
TU N'AS PAS À T'EXCUSER AUPRÈS DE MOI.
CE QUE JE T'AI DIT LE JOUR OÙ NOUS AVONS QUITTÉ LE COLLÈGE VAUT POUR L'ÉTERNITÉ...
PRENDS TON TEMPS POUR GUÉRIR.
JE LUI AI DIT QUE JE L'ATTENDRAI TOUJOURS...
AZUKI...!
SI ELLE OSE DIRE ÇA ICI DEVANT NOUS, C'EST QU'ELLE A ENVIE QU'IL SE SOIGNE VRAIMENT, SANS TROP SE SURMENER.
OUI... ELLE L'ATTENDRA TOUJOURS...
AH... QU'EST-CE QU'ON DOIT FAIRE MAINTENANT ?
MOI, JE NE LÂCHERAI PAS ! JE CONTINUERAI À DESSINER MES PLANCHES JUSQU'À LA SORTIE DU JUMP N° 32 !
MASHIRO...

* 701 NIIZUMA.
APRÈS CE QUE LE DIRECTEUR ÉDITO A FAIT À ASHIROGI SENSEI, C'EST CLAIR QUE JE LUI EN VEUX.
N'EST-CE PAS ?
OUI. C'EST ABSURDE.
BAM
MOI, JE VAIS ARRÊTER DE DESSINER POUR LE JUMP JUSQU'À CE QUE LE DIRECTEUR ÉDITO REVIENNE SUR SA DÉCISION.
WAOUH !
CEPENDANT, SI JE SUIS LE SEUL À FAIRE ÇA, L'IMPACT SERA FAIBLE.
O.K., J'AI COMPRIS !
SI "TRAP" EST SUSPENDU, JE ME METS EN VACANCES !
SÉRIEUX ?
BAM
HUM... TU NE CROIS PAS QU'ASHIROGI VA SE SENTIR RESPONSABLE DE CE QU'ON FAIT ?
C'EST POUR ÇA QU'IL NE FAUT PAS LE LUI DIRE. ON LUI EN PARLERA UNE FOIS QUE LE DIRECTEUR ÉDITO SERA REVENU SUR SA DÉCISION.
TAP
JE VOIS.

JE ME CHARGE DE CONVAINCRE NAKAI ET AOKI.
OH ! C'EST TOUT LE CLAN FUKUDA QUI ORGANISE UN BOYCOTT ?
ET PAS SEULEMENT ! VU LA RÉACTION DE HIRAMARU AUJOURD'HUI, JE PENSE QU'IL VA NOUS SUIVRE, LUI AUSSI.
LUI, DE TOUTE FAÇON, IL DIT TOUJOURS QU'IL VEUT DES VACANCES. JE SAIS OÙ LE JOINDRE.
DANS CE CAS, TU TE CHARGES DE L'APPELER. MOI, J'APPELLE NAKAI.
O.K. !
♫
QU'EST-CE QUE TU RACONTES, FUKUDA ?
UN RASSEMBLEMENT URGENT CHEZ NIIZUMA...?
QUE JE VIENNE SANS POSER DE QUESTION...?
!?
JE T'AI DÉJÀ DIT QUE J'ÉTAIS DÉBORDÉ, QUE JE N'AVAIS PAS UNE MINUTE...
HEIN ?
AOKI SERA LÀ ?
PFF... BON, D'ACCORD, PAS LE CHOIX... JE ME RASE ET J'ARRIVE !
CLANG
♫
KAZUYA HIRAMARU
INTERDIT AUX COLPORTEURS ET À M. YOSHIDA
UN BOYCOTT ? FORMIDABLE ! ET J'ENTRE DANS VOTRE CLAN ? J'ATTENDAIS QUE VOUS LE PROPOSIEZ !
...
VOILÀ, TOUT DE SUITE, L'AVENIR ME PARAIT PLUS JOYEUX.

QUOI ? TU T'OPPOSES À TES SUPÉRIEURS ?
NON. J'AIMERAIS JUSTE QUE VOUS NOUS EXPLIQUIEZ PLUS EN DÉTAIL VOTRE DÉCISION. POURQUOI C'EST UNE SUSPENSION JUSQU'EN AVRIL, PAR EXEMPLE...
MOI AUSSI, ÇA M'INTÉRESSE.
YÛJIRÔ, ARRÊTE...
AIDA, POURQUOI LE RETENEZ-VOUS ? CETTE FOIS, MOI NON PLUS, JE NE COMPRENDS PAS.
JUSQU'AU MOIS D'AVRIL, C'EST DUR QUAND MÊME !
ON N'Y PEUT RIEN ! LA VIE D'UN HOMME PASSE AVANT TOUT !
PFF ! TOI, TU ES DU CÔTÉ DU RÉDAC' CHEF.
DÉJÀ, IL FAUDRAIT NOUS EXPLIQUER POURQUOI C'EST UNE QUESTION DE VIE OU DE MORT.
C'EST NOTRE LIGNE DE DÉFENSE. DANS UN CAS PAREIL, ON DOIT AVOIR UNE LIGNE DE DÉFENSE BIEN CLAIRE !
TU N'AS PAS DE PEINE POUR ASHIROGI, TOI ?
QUAND TU PENSES QU'ILS AVAIENT ENFIN TROUVÉ LEUR LECTORAT...

EH ! LE DIRECTEUR ÉDITO EST DE RETOUR !

BAM

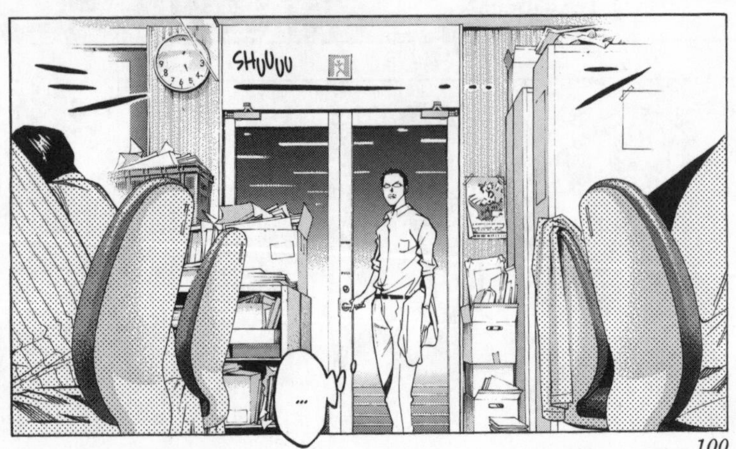
SHUUUU
...

NOUS NE DESSINERONS PLUS "KIYOSHI", "CROW", ET "RAKKO" TANT QUE LE DIRECTEUR ÉDITO N'AURA PAS CHANGÉ D'AVIS.
OUI.
AH... UN BOYCOTT...
PAS D'OBJECTION.
JE RENDRAI MA PRIME CONTRACTUELLE ET JE M'EN IRAI. SI NÉCESSAIRE, ET SI ASHIROGI SENSEI EST D'ACCORD, JE SUIS PRÊT À PAYER LA PRIME DE TOUT LE MONDE POUR QU'ON EFFECTUE UNE MIGRATION EN CLAN TOUT ENTIER.
TU ES PRÊT À TOUT... CELA DIT, TU ES SOUS CONTRAT, C'EST IMPOSSIBLE...
MOI, SI JAMAIS IL NE REVIENT PAS SUR SA DÉCISION, J'IRAI DESSINER POUR UN AUTRE MAGAZINE JUSQU'À CE QU'ASHIROGI SENSEI REPRENNE DU SERVICE.
OH ! PRINCESSE AOKI, C'EST LA PREMIÈRE FOIS QU'ON EST D'ACCORD !
JE TROUVE, MOI AUSSI, BIZARRE LE SYSTÈME DU DIRECTEUR ÉDITORIAL. NOUS DEVONS NOUS BATTRE.
HEIN ?
NAKAI, DANS CE GENRE DE SITUATION, VOUS POURRIEZ ÊTRE PLUS COURAGEUX.
OUI, MAIS SI ON FAIT ÇA, FINALEMENT, ON VA TOUS EN PÂTIR...
TOUTES MES EXCUSES. J'AI UN FAIBLE POUR LES JOLIES FEMMES...
EH... HIRAMARU, DE QUOI JE ME MÊLE ? MOI AUSSI, JE SUIS INQUIET POUR ASHIROGI. JE PARTICIPE AU BOYCOTT.
... GRRR
MOI AUSSI, JE VOUS AIME.
OH... PRINCESSE AOKI, JE VOUS ADMIRE AUJOURD'HUI.
DANS UN BOYCOTT, PLUS ON EST NOMBREUX, PLUS C'EST EFFICACE.

CLAC
PULL
SALUT...
C'EST BIEN CALME AUJOURD'HUI...

ON EST AU COURANT POUR ASHIROGI...
C'EST DÉGUEULASSE...
PLUTÔT QUE DE RESTER LÀ SANS RIEN DIRE, ON FERAIT MIEUX DE MARQUER NOTRE OPPOSITION.
SI TU VEUX ÊTRE VIRÉ, OUI, BONNE IDÉE.
OUI, C'EST VRAI. DE PLUS, ÇA NE CHANGERA RIEN : LE DIRECTEUR NE REVIENT JAMAIS SUR UNE DÉCISION.

♪♫
♫♫
FUKUDA...
UN BOYCOTT !?

HÉ ! HÉ ! ÇA COMMENCE À DEVENIR EXCITANT !
QUE SE PASSE-T-IL ?
CLAP
SI JAMAIS ON NE S'ENGAGE PAS À FAIRE REDÉMARRER "TRAP" DANS LES PLUS BREFS DÉLAIS, IL INTERROMPT SA SÉRIE, LUI AUSSI.
QUOI ?
C'EST ÇA QUE TU APPELLES "EXCITANT" ?! TU ES FOU ? "KIYOSHI KNIGHT" SERA SUSPENDU AUSSI EN MÊME TEMPS ?
CE N'EST PAS TOUT : "CROW" AUSSI. NIIZUMA VIENT DE ME LE DIRE LUI-MÊME AU TÉLÉPHONE.
"CROW" AUSSI... OUTCH...
"RAKKO 11" ÉGALEMENT ! HIRAMARU AUSSI M'A PARLÉ.
"CROW", "RAKKO", "KIYOSHI"... C'EST LE TOP DU CLASSEMENT EN CE MOMENT...
ÇA, ÇA CRAINT...

IL Y A AUSSI "HIDEOUT DOOR"...
HA ! HA ! OUI, BON, ÇA, À LA LIMITE, CE N'EST PAS GRAVE, HEIN ?
EH ! MAIS C'EST MOI QUI SUIS RESPONSABLE DE CETTE SÉRIE !
CE N'EST PAS LE MOMENT DE FAIRE LES QUESTIONS ET LES RÉPONSES.
DONC, EN PLUS DE "TRAP", IL VA MANQUER "KIYOSHI", "CROW", RAKKO" ET "HIDEOUT"...
ÇA... SI JAMAIS TOUTES CES SÉRIES SONT ABSENTES DU SOMMAIRE, C'EST LA CATASTROPHE !

TOUT ÇA, C'EST UNE IDÉE DE FUKUDA, J'IMAGINE...
OÙ VAS-TU COMME ÇA ?
BEN, PUISQU'ILS DISENT QU'ILS FONT UN BOYCOTT, JE VAIS PRÉVENIR LE DIRECTEUR.
ARRÊTE, IMBÉCILE !
IL A RAISON ! QU'EST-CE QUI TE PREND ?!

FAIRE DESSINER LES AUTEURS, C'EST NOTRE BOULOT À NOUS ! IL EST HORS DE QUESTION QU'ON ACCEPTE LEUR BOYCOTT SANS RIEN FAIRE.
HUM... OUI, CE N'EST PAS FAUX.
PFF ! VRAIMENT...
ILS ONT PARLÉ EUX-MÊMES AU TÉLÉPHONE, HEIN ?
OUI.
ÇA VEUT DONC DIRE QU'ILS SONT TOUS ENSEMBLE AU MÊME ENDROIT.
TAC

JE VAIS ALLER LEUR PARLER. J'AI JUSTE BESOIN DE SAVOIR OÙ ILS SONT.
!
EN TANT QUE RESPONSABLE DE "CROW" ET DE "KIYOSHI", JE T'ACCOMPAGNE.
C'EST UN PROBLÈME QUI CONCERNE "TRAP", JE VIENS AUSSI...
"HIDEOUT" EST IMPLIQUÉ, JE DOIS Y ALLER.
AIDA, VOUS, VOUS ÊTES DU CÔTÉ DU DIRECTEUR, VOUS POUVEZ RESTER LÀ.
POUR L'INSTANT, ON S'EN FICHE DE ÇA. J'AI DU MAL À ME DÉCIDER, ALORS, IL FAUT QUE J'Y AILLE.
TAD
TAD
ET LE RESPONSABLE DE "RAKKO", YOSHIDA ?
LUI, IL EST DU GENRE ACTIF DANS CE GENRE D'AFFAIRE, JE VAIS LUI POSER LA QUEST...

BIEN COMPRIS ? ON NE SORT PAS TOUS ENSEMBLE !
ÇA DOIT AVOIR L'AIR NATUREL !
SAT
YOSHIDA ! TES RAPIDE !
OUI, JE VOUDRAIS QU'ON DISCUTE DE VOTRE BOYCOTT.
OUI... INSTALLEZ-VOUS DANS UN RESTAURANT FAMILIAL PROCHE DE L'ENDROIT OÙ VOUS ÊTES... ON VIENT À CINQ, NOUS AUSSI.
ILS PASSENT À L'ACTION !
CLAP
QUOI ? QUE SE PASSE-T-IL ?
TOUS NOS ÉDITEURS RESPONSABLES AINSI QU'HATTORI VIENNENT ICI TOUS LES CINQ SANS EN AVOIR PARLÉ AU DIRECTEUR.
ÇA VA COGNER.
WAOUH...

TADAM
BONJOUR À TOUS !
...

LES NEMUS D'OHBA

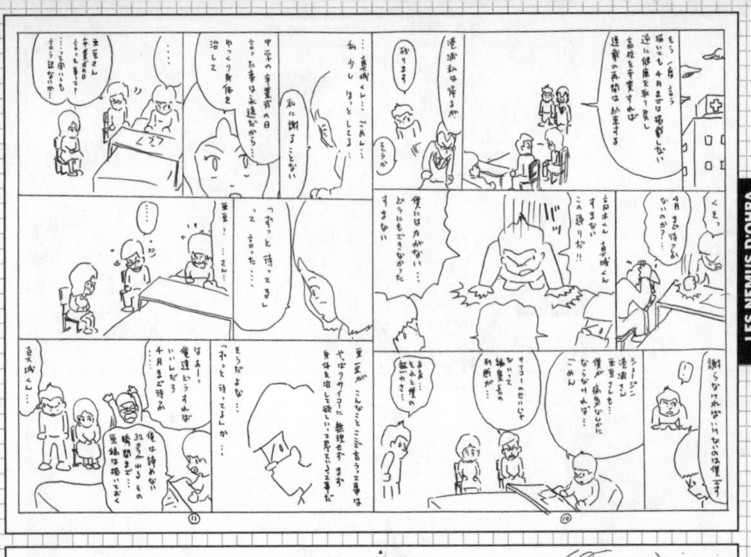

LES NEMUS D'OBATA

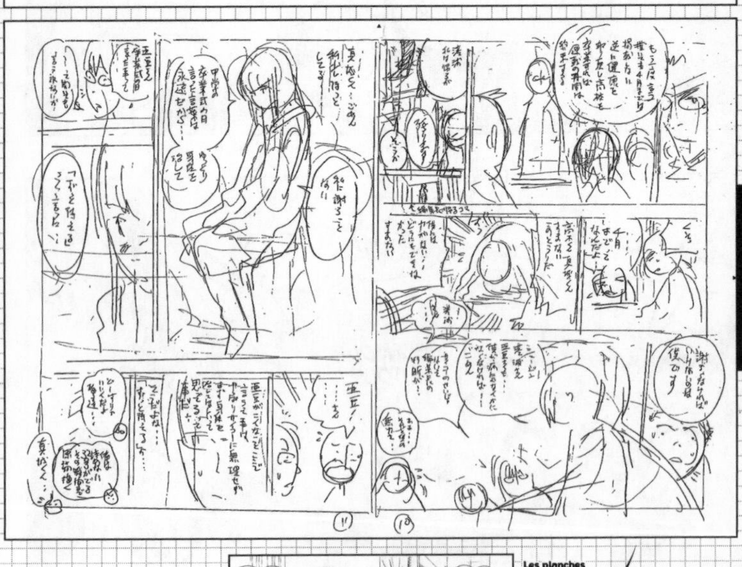

Les planches terminées !

BAKUMAN - VOL. 6
Du découpage à la planche finie
Épisode 48 - pages 96-97

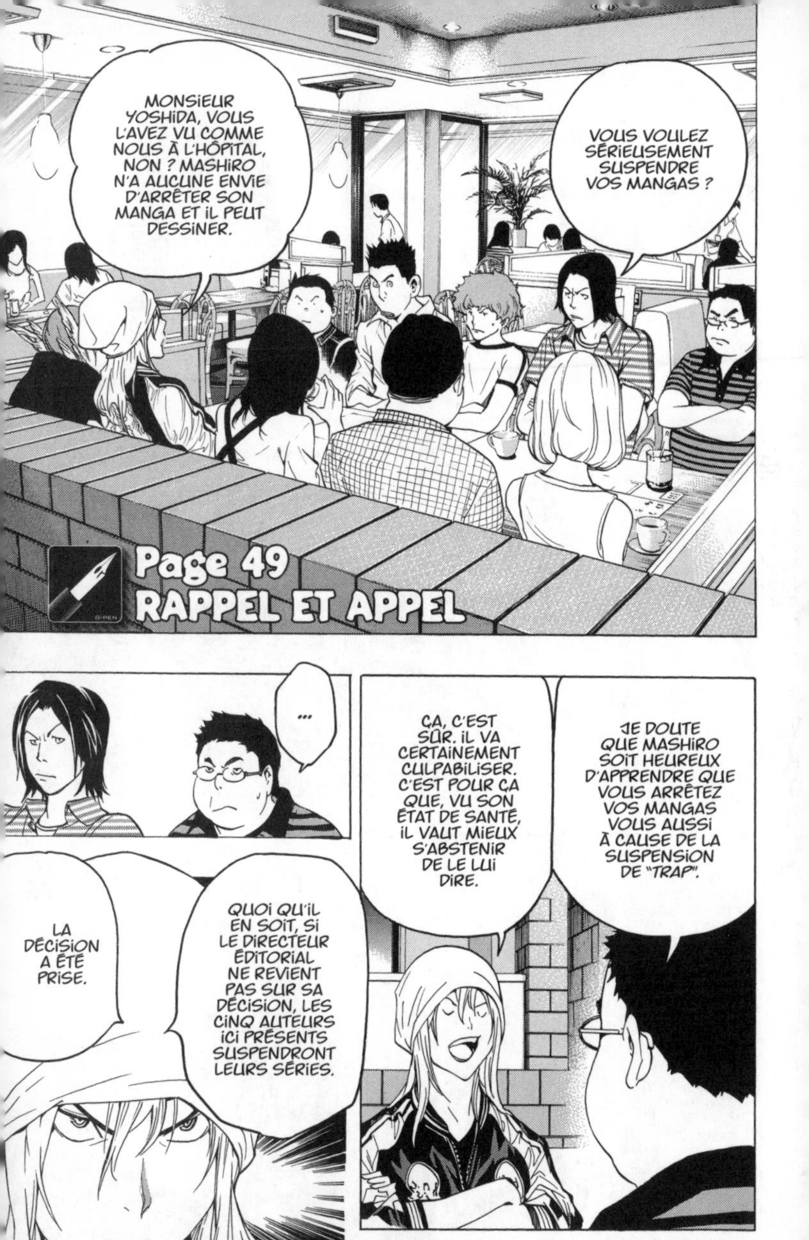
VOUS VOULEZ SÉRIEUSEMENT SUSPENDRE VOS MANGAS ?
MONSIEUR YOSHIDA, VOUS L'AVEZ VU COMME NOUS À L'HÔPITAL, NON ? MASHIRO N'A AUCUNE ENVIE D'ARRÊTER SON MANGA ET IL PEUT DESSINER.
Page 49
RAPPEL ET APPEL
JE DOUTE QUE MASHIRO SOIT HEUREUX D'APPRENDRE QUE VOUS ARRÊTEZ VOS MANGAS VOUS AUSSI À CAUSE DE LA SUSPENSION DE "TRAP".
ÇA, C'EST SÛR. IL VA CERTAINEMENT CULPABILISER. C'EST POUR ÇA QUE, VU SON ÉTAT DE SANTÉ, IL VAUT MIEUX S'ABSTENIR DE LE LUI DIRE.
...
QUOI QU'IL EN SOIT, SI LE DIRECTEUR ÉDITORIAL NE REVIENT PAS SUR SA DÉCISION, LES CINQ AUTEURS ICI PRÉSENTS SUSPENDRONT LEURS SÉRIES.
LA DÉCISION A ÉTÉ PRISE.

COMBIEN DE TEMPS CELA DURERA-T-IL ?
JUSQU'À CE QUE "TRAP" REPRENNE DANS LE MAGAZINE, BIEN ENTENDU.
PAS D'OBJECTION.
SLURP
HEIN ?! SI "TRAP" NE REPREND QU'EN AVRIL DE L'ANNÉE PROCHAINE, VOUS SUSPENDREZ VOS SÉRIES JUSQUE-LÀ ?!
OUI.
ET VOS ASSISTANTS, QUE VONT-ILS FAIRE ? POUR CERTAINS D'ENTRE VOUS, IL SERA IMPOSSIBLE DE CONTINUER À LEUR VERSER LEUR SALAIRE.
AH... C'EST VRAI ÇA...

JE ME CHARGERAI DE LES PAYER TOUS. J'AI PLEIN D'ARGENT. À SUPPOSER QUE J'AIE 100 MILLIONS DE YENS*, JE NE SAURAIS PAS QUOI EN FAIRE.
ÇA ME FAIT PLAISIR SI ÇA SERT À QUELQUE CHOSE.
BIEN SÛR, J'AIDERAI ASHIROGI SENSEI S'IL EST EN DIFFICULTÉ.
SLURP
...
HUIT MILLIONS ET DEMI D'EXEMPLAIRES EN 10 TOMES SORTIS, FORCÉMENT...

* ENVIRON 900 000 EUROS.

J'AI UNE QUESTION À VOUS POSER...
SUR QUELS POINTS EXACTEMENT SOUHAITEZ-VOUS QUE NOUS REVENIONS ?
MOI NON PLUS, JE NE SUIS PAS D'ACCORD AVEC LA SUSPENSION DE "TRAP" JUSQU'AU MOIS D'AVRIL. PAR EXEMPLE, SI LE DIRECTEUR RECTIFIE SA DÉCISION EN REPRENANT LA PUBLICATION DE "TRAP" DÈS QUE MASHIRO SORT DE L'HÔPITAL, QUE FEREZ-VOUS ?
...!
QUE CE SOIT EN AVRIL OU À LA SORTIE D'HÔPITAL DE MASHIRO, C'EST PAREIL. LE TOUT, C'EST QUE "TRAP" REPRENNE DANS LE JUMP, C'EST ÉVIDENT.
SLURP
ON N'AVAIT PAS PENSÉ À ÇA...!
HIRAMARU, TOI, TU AS JUSTE PRIS LE TRAIN EN MARCHE PARCE QUE ÇA T'ARRANGE, ALORS, TAIS-TOI.
TAC
QUE... QUOI ?!
IL N'EMPÊCHE QU'ON EST TOUS INDIGNÉS PAR LES MESURES PRISES PAR LE DIRECTEUR ÉDITORIAL. CE N'EST PAS PARCE QUE JE N'AI PAS ENVIE DE DESSINER MON MANGA QUE JE SUIS LÀ...
PEUT-ÊTRE, MAIS À PART FUKUDA, ON A TOUS PRIS LE TRAIN EN MARCHE.
TU PARLES !
BON, ALORS ?
À PART HIRAMARU, VOUS VOULEZ MAINTENIR VOTRE BOYCOTT MÊME SI LE DIRECTEUR ANNONCE QUE "TRAP" REPRENDRA QUAND MASHIRO SORTIRA DE L'HÔPITAL ?
...

ÇA NE MARCHE PAS COMME ÇA.
QUE LE DIRECTEUR RECTIFIE D'ABORD SA DÉCISION, ET ON EN REPARLERA ENSUITE.
VOUS AVEZ L'AIR TRÈS DÉCIDÉS...

ET SI JAMAIS LA SITUATION DEVAIT ENCORE DURER, ON IRAIT TOUS DESSINER POUR D'AUTRES MAGAZINES.
MOVE !
POURQUOI TU DIS ÇA ICI...?
SURTOUT PAS ÇA, JE T'EN PRIE... LÀ, ON SERAIT TOUS VIRÉS DE LA BOITE !
QUOI ?! TU PLAISANTES !?
SAT SAT

AH BON ? OUI, CE SERAIT TRISTE POUR VOUS. EN PLUS, YÛJIRÔ, VOUS VOUS ÊTES BIEN OCCUPÉ DE MOI...
DANS CE CAS, JE FERAI UN STOCK DE PLANCHES EN ATTENDANT... J'AI QUAND MÊME ENVIE DE DESSINER.
PSHUUUU
OUI, JE PRÉFÈRE ÇA, MERCI.
OUF
NAKAI ET AOKI, VOUS VOUS RENDEZ COMPTE DE CE QUE ÇA SIGNIFIE ?
?

IL Y A UNE GROSSE DIFFÉRENCE ENTRE LA SUSPENSION D'UNE SÉRIE À SUCCÈS, COMME "CROW" PUBLIÉE DEPUIS DEUX ANS, ET CELLE DE "HIDEOUT" QUI N'EN EST QU'AU CHAPITRE 10 ET QUI EST SEULEMENT CLASSÉE 13e DES VOTES DES LECTEURS.
SI ÇA SE TROUVE, LA SUSPENSION DE VOTRE MANGA POURRAIT BIEN DEVENIR DÉFINITIVE.
AH... ÇA... CE SERAIT EMBÊTANT...
CELA M'IMPORTE PEU.

HEIN ?!
SI LE DIRECTEUR ÉDITORIAL AGIT DE MANIÈRE AUSSI INJUSTE, ALORS, C'EST MOI QUI REFUSERAI D'ÊTRE PUBLIÉE.
CE QUI EST NORMAL, PUISQUE JE PENSE, MOI AUSSI, QUE LE DIRECTEUR SE TROMPE DANS SON JUGEMENT.
YEH ! PRINCESSE AOKI !
AUJOURD'HUI, TU ME PLAIS VRAIMENT !
OUI, MADEMOISELLE, VOUS ME PLAISEZ. JE VOUS AIME.
HE ! HO ! VOUS...
BON, ÇA NE RIME À RIEN DE DISCUTER ICI AVEC NOS RESPONSABLES ÉDITORIAUX. ALLONS VOIR LE DIRECTEUR ÉDITO ET EXPLIQUONS-LUI NOTRE POSITION.
CLANG
TU AS RAISON. ON VA ÊTRE CLAIRS : "ON S'ARRÊTE."
EH ! PAS SI VITE !
LAISSONS-LES FAIRE, NON ?

AH, NON, PAS QUESTION !
PERSONNELLEMENT, JE N'APPRÉCIE PAS LA DÉCISION PRISE PAR LE DIRECTEUR. DE PLUS, LES AUTEURS ONT L'AIR TRÈS DÉCIDÉS. ÇA M'INTÉRESSE DE SAVOIR SI UN BOYCOTT PEUT FAIRE CHANGER LES CHOSES.
YÛJIRÔ, TU N'OUBLIERAIS PAS UN PEU QUE NOTRE TRAVAIL CONSISTE À RÉCUPÉRER LES PLANCHES DES AUTEURS AFIN QU'ELLES SOIENT PUBLIÉES ?
OUI, D'ACCORD, DANS CE CAS, VOYEZ AVEC AOKI ET NAKAI S'ILS VOUS DONNENT LEURS PLANCHES DE "HIDEOUT".
MOI, JE DOUTE FORT QUE CES DEUX-LÀ ME DONNENT LES LEURS.
YÛJIRÔ, VOUS COMPRENEZ VITE, VOUS.
ET VOUS AVEZ RAISON.
JE VOUS DEMANDE QUAND MÊME DE FAIRE VOTRE TRAVAIL. SI LE DIRECTEUR REVIENT SUR SA DÉCISION, JE N'AI PAS ENVIE QU'ON MANQUE DE PLANCHES POUR LA PUBLICATION.
OKI-DOKI.
C'EST ÉVIDENT.
AH...

HIRAMARU, ÇA VAUT POUR TOI AUSSI.
OUI, BIEN SÛR.
ZUT... FINALEMENT, JE DOIS QUAND MÊME DESSINER... J'AI L'IMPRESSION D'AVOIR FAIT TOUT ÇA POUR RIEN...
SLURP
BON... JE CROIS QU'ON N'ARRIVERA PAS À VOUS RAISONNER... ON PERD NOTRE TEMPS.
DANS CE CAS, ALLONS PARLER AU DIRECTEUR... VOUS, LES AUTEURS, VOUS NE VENEZ PAS.
POURQUOI ÇA ?
PARCE QUE ÇA VA COMPLIQUER LES CHOSES.

立病院

DIS-MOI, MON GARÇON...
CRAT
CRAT
ink

AH... JE VOUS AI RÉVEILLÉ ? JE SUIS DÉSOLÉ...
NON, JE DORS DANS LA JOURNÉE. ALORS, JE N'ARRIVE PAS À TROUVER LE SOMMEIL...
J'AI ENTENDU LES DISCUSSIONS QUE TU AS EUES AVEC TES AMIS... TU ES MANGAKA, C'EST ÇA ?
OUI...
CRAT CRAT

QUAND J'ÉTAIS JEUNE, JE VOULAIS ÊTRE ACTEUR ET J'AI JOUÉ DES PETITS RÔLES DANS PLUSIEURS FILMS, MAIS JE N'AI JAMAIS VRAIMENT PERCÉ.
NÉANMOINS, EST-CE PARCE QUE J'AI FAIT DE MON MIEUX ? TOUJOURS EST-IL QUE JE N'AI AUCUN REGRET. QUAND J'Y REPENSE AUJOURD'HUI, JE ME DIS QUE C'ÉTAIT LA PLUS BELLE ÉPOQUE DE MA VIE.
AH BON ? VOUS AVEZ JOUÉ DANS DES FILMS. BRAVO !
ÊTRE JEUNE, C'EST FORMIDABLE.
NE T'INQUIÈTE PAS POUR MOI ET FAIS CE QUE TU AS À FAIRE. JE SUIS DE TOUT COEUR AVEC TOI.
MERCI BEAU-COUP.

LES DEUX CHEFS D'ÉQUIPE QUI VIENNENT ME VOIR ENSEMBLE... QUE SE PASSE-T-IL ?
EIJI NIIZUMA...
... KAZUYA HIRAMA-RU...
... SHINTA FUKUDA ...
... LA PAIRE KÔ AOKI - TAKURÔ NAKAI...
... ONT ANNONCÉ QU'ILS INTERROMPRAIENT LEURS SÉRIES SI "TRAP" ÉTAIT SUSPENDU... C'EST UNE PROTESTATION CONTRE VOTRE DÉCISION...
AUTREMENT DIT, C'EST UN BOYCOTT...?
OUI...

...
JUSQU'AU BOUT, BIEN ENTENDU, NOUS ESSAYERONS DE LES DISSUADER DE FAIRE CELA, MAIS ILS SONT DÉTERMINÉS, ET IL FAUT ENVISAGER LE PIRE...
ILS LE FERONT, C'EST CERTAIN. J'AI SENTI UNE TRÈS FORTE COHÉSION ENTRE EUX.

RÉCUPÉRER LES PLANCHES DES AUTEURS, C'EST VOTRE BOULOT.
OUI.
SI NOUS N'AVONS PAS LES PLANCHES, LA RESPONSABILITÉ VOUS INCOMBE...
... AVANT DE DEVENIR LA MIENNE, MOI, VOTRE SUPÉRIEUR HIÉRARCHIQUE.
...

VOUS ALLEZ FAIRE TOUT CE QUE VOUS POUVEZ POUR QUE LE TRAVAIL SOIT PRÊT À TEMPS.
C'EST TOUT CE QUE JE PEUX VOUS DIRE.
OUI... MAIS... LES AUTEURS ONT STIPULÉ QU'ILS DESSINERAIENT SI VOUS REVENIEZ SUR VOTRE DÉCISION DE SUSPENDRE "TRAP" JUSQU'EN AVRIL PROCHAIN...
CE QUI EST DÉCIDÉ EST DÉCIDÉ, JE NE REVIENS PAS LÀ-DESSUS.

COMME ON S'Y ATTENDAIT, ÇA NE PASSE PAS... ÇA PROMET UN N° 32 INCROYABLE...
OUI, ET ON PEUT S'ATTENDRE À DE GROSSES MUTATIONS EN INTERNE, ET NOUS N'Y ÉCHAPPERONS PAS...
?

MONSIEUR LE DIRECTEUR...
N'ACCEPTERIEZ-VOUS PAS DE RACCOURCIR LE TEMPS DE SUSPENSION ET DE LE FIXER À LA SORTIE D'HÔPITAL DE MASHIRO ?
DANS CES CONDITIONS, IL N'EST PAS IMPOSSIBLE DE CONVAINCRE NIIZUMA ET LES AUTRES DE RENONCER AU BOYCOTT.
...!

JE LE RÉPÈTE : JE NE REVIENDRAI PAS SUR MA DÉCISION.
...

QU'EST-CE QUE VOUS ATTENDEZ ? JE VOUS AI DEMANDÉ DE TOUT FAIRE POUR QU'ON AIT LES PLANCHES À TEMPS !
PRÉPARER DES MANGAS DE REMPLACEMENT, ÇA FAIT AUSSI PARTIE DE VOTRE TRAVAIL.
SAT
AH...
OUI.
...
PFF... JE VAIS ENCORE ESSAYER DE RAISONNER NAKAI...
TOI ENCORE, ÇA VA, AIDA : TU AS DES CHANCES D'Y ARRIVER... MOI, AVEC HIRAMARU, CE N'EST MÊME PAS LA PEINE D'ESSAYER...
VOILÀ QUI AMÈNE À RÉFLÉCHIR SUR DES MANGAKAS QUI S'ENTENDENT UN PEU TROP BIEN...
OUI, PEUT-ÊTRE...

LE LENDEMAIN...
AZUKI VIENT AUJOURD'HUI ?
ELLE M'A DIT QU'ELLE PASSERAIT APRÈS LES COURS...
JE CROIS QU'ON VA VRAIMENT ARRIVER À FINIR LE CHAPITRE 19 POUR DEMAIN !
OUI. DEMAIN, DÉSOLÉ, MAIS J'AURAIS BESOIN QUE TU VIENNES TÔT ICI POUR RÉCUPÉRER LES PLANCHES ET LES APPORTER À L'ATELIER POUR LES ASSISTANTS.
SAT SAT
MORITAKA...
NE T'EN FAIS PAS. C'EST MON CORPS. LE MIEUX PLACÉ POUR SAVOIR QUAND IL A BESOIN DE REPOS, C'EST MOI.
SAT SAT
TOI, VRAIMENT, TU N'EN FAIS QU'À TA TÊTE...
BONJOUR !
MONSIEUR MIURA !
BONJOUR !
LE DIRECTEUR ÉDITORIAL A DIT QU'IL NE PUBLIERAIT PAS NOTRE MANGA MÊME SI JE DESSINAIS, MAIS JUSQU'AU DERNIER MOMENT, JE NE RENONCERAI PAS. LE CHAPITRE 19 SERA PRÊT VENDREDI COMME D'HABITUDE.
OUI, D'ACCORD, TRÈS BIEN...
UNE FOIS QUE LES PLANCHES SERONT TERMINÉES, JE VIENDRAI LES CHERCHER. NÉANMOINS, NE TE FAIS PAS D'ILLUSIONS : QUAND LE DIRECTEUR DÉCIDE QUELQUE CHOSE, À MOINS D'UN FAIT EXCEPTIONNEL, IL NE REVIENT PAS SUR SA DÉCISION...
QUI SAIT ? UNE FOIS L'OPÉRATION PASSÉE, SI TU FAIS TES PLANCHES NORMALEMENT, IL CHANGERA PEUT-ÊTRE D'AVIS...
J'AIMERAIS BIEN, OUI...

MADAME, JE SUIS VRAIMENT DÉSOLÉ... JE SAIS QUE JE DEVRAIS L'EMPÊCHER DE FAIRE ÇA...
NON... VOUS SAVEZ, JE SUIS BIEN PLACÉE POUR SAVOIR QUE LORSQU'IL DÉCIDE DE FAIRE QUELQUE CHOSE, PERSONNE NE PEUT L'EN EMPÊCHER.
AU FAIT, LA DATE DE L'OPÉRATION A ÉTÉ FIXÉE À LUNDI PROCHAIN. SI LES NEMUS SONT PRÊTS DANS LE TIMING HABITUEL, ON DEVRAIT FINIR LE PROCHAIN CHAPITRE À TEMPS.
MASHIRO, APRÈS L'OPÉRATION, FAIS-MOI LE PLAISIR DE TE REPOSER...
OUI, S'IL TE PLAÎT...
TOUT EN ME REPOSANT, JE DESSINERAI.
IL NE FAUT SURTOUT PAS LUI PARLER DU BOYCOTT DES AUTRES... MÊME S'ILS INTERROMPENT VRAIMENT LEURS MANGAS, PLUS TARD IL L'APPRENDRA, MIEUX ÇA VAUDRA.
BON-JOUR !
CLAC
MIHO !
BON, À VENDREDI ! JE PASSERAI CHERCHER LES PLANCHES !
MERCI, JE COMPTE SUR VOUS.
GRAT
GRAT
J'Y VAIS, MOI AUSSI. SI JE RESTE LÀ, JE SENS QUE JE VAIS ME RENDRE ENCORE PLUS MALADE QUE LES PATIENTS QUI SONT ICI.
AL-LEZ...
... NOUS AUSSI, MIYOSHI.
HEIN ? AH, OUI !
...
SAT SAT SAT SAT
MAIS... KAYA ! TAKAGI... RESTEZ !
NE DIS PAS DE BÊTISES ! ON VOUS LAISSE EN TÊTE À TÊTE. ALORS, EMBRASSEZ-VOUS !

L'OPÉRATION AURA LIEU LUNDI PROCHAIN.
...
AH BON ?
...
TAC !
TIENS, MASHIRO...
MERCI !
御守
* AMULETTE.

TU AS BEAU ME DIRE QUE JE NE DOIS PAS M'INQUIÉTER POUR CETTE OPÉRATION, MAIS CE N'EST PAS POSSIBLE. ALORS, JE MANQUERAI L'ÉCOLE ET JE VIENDRAI ICI LUNDI.
TU M'AVAIS DIT QUE TON ÉCOLE ÉTAIT TRÈS SÉVÈRE EN CE QUI CONCERNE LES ABSENCES... CE N'EST PAS LA PEINE DE VENIR. C'EST UNE OPÉRATION QUI RÉUSSIT DANS 99 % DES CAS.
HEIN ? IL RESTE 1 % D'ÉCHEC ?
JE VIENDRAI, C'EST SÛR.
...
...

ON EST EN DERNIÈRE ANNÉE DE LYCÉE, N'EST-CE PAS ?
BEN OUI ! C'EST PAS NOUVEAU. QU'EST-CE QUI TE PREND DE DIRE ÇA ?
TOUT À L'HEURE... KAYA... ELLE...
HEIN ?
EM-BRASSEZ-VOUS !
QUE... QUE... QUOI ?!

ATTENDS... TU DIS ÇA PARCE QUE J'AI UNE CHANCE SUR CENT DE MOURIR, ALORS...
COMMENT ? NON, JE NE PENSE PAS QUE TU PUISSES MOURIR... POURQUOI DIS-TU ÇA ?
AH... PARDON... SI JE MOURAIS SANS QU'ON SE SOIT EMBRASSÉS...
AH...
...
NON, CE N'EST PAS ÇA... JE ME DEMANDAIS SI J'ÉTAIS BIEN NORMALE...
JE NE DIS PAS QUE J'AI ENVIE DE T'EMBRASSER... NON, PARDON, CE N'EST PAS ÇA... JE N'AI JAMAIS PENSÉ QUE J'EN AVAIS ENVIE...
...
JE CROIS QUE JE COMPRENDS...
VRAIMENT ?
MOI, QUAND JE SUIS AVEC TOI, ÇA ME VIDE COMPLÈTEMENT LA TÊTE, JE NE PENSE PAS DU TOUT À CE GENRE DE CHOSES...
ENFIN...
JE SUIS HEUREUX QU'ON SOIT TOUS LES DEUX ENSEMBLE...
JE SUIS SOULAGÉE. C'EST UN PEU PAREIL POUR MOI.
OUI ? TU ES SÛRE ? PARCE QUE JE ME DEMANDE SI JE NE T'OFFENSE PAS QUAND MÊME...
HA ! HA ! NON, C'EST BIEN, JE T'ASSURE.

COMME PRÉVU, NOUS AVONS REMIS LE CHAPITRE 19 À M. MIURA LE VENDREDI. LUI, IL NOUS A APPORTÉ UN EXEMPLAIRE DU TOME 1 DE "TRAP" AVANT SA SORTIE EN LIBRAIRIE.
JUMP COMICS
POUR L'OPÉRATION, J'AI SUBI UNE ANESTHÉSIE GÉNÉRALE ET, LORSQUE JE ME SUIS RÉVEILLÉ, C'ÉTAIT FINI. DÈS LE LENDEMAIN, ON M'A AUTORISÉ À RECEVOIR DE COURTES VISITES. J'AVAIS JUSTE UN PEU MAL AU NIVEAU DE LA PARTIE INCISÉE.
LÀ, TU VAS QUAND MÊME TE REPOSER MAINTENANT, HEIN ?
JE VAIS DESSINER DOUCEMENT EN ME REPOSANT, OUI.
O.K., MAIS TU ATTENDRAS DEMAIN.
ON NE VA PAS MANQUER DE TEMPS ?
DE TOUTE FAÇON, ON N'AURA QU'À RENDRE LES PLANCHES LUNDI PROCHAIN. KATÔ ET TAKAHAMA M'ONT DIT QU'ILS POUVAIENT VENIR BOSSER LE WEEK-END ET LE LUNDI S'IL LE FALLAIT.
C'EST BON, J'AI COMPRIS... AUJOURD'HUI, JE VAIS BIEN DORMIR.
C'EST BIEN, MORITAKA.
C'EST AINSI QUE LE CHAPITRE FUT PRÊT TOUT JUSTE UNE SEMAINE APRÈS L'OPÉRATION.
IL FAUDRAIT JUSTE DEMANDER À OGAWA DE METTRE PLUS DE CONTRASTE AVEC DES TRAMES ICI, ET CE SERA BON.
SHA
O.K. !
REGARDE, SAIKÔ ! JE SUIS PASSÉ DANS UNE LIBRAIRIE, ET "TRAP" ÉTAIT EN VENTE. J'AI PRIX UNE PHOTO AVEC MON TÉLÉPHONE. ON EST EN TÊTE DE RAYON ! EN TÊTE DE RAYON !
GÉNIAL ! IL FAUT VRAIMENT QU'ON CONTINUE À DESSINER !
DEMAIN, ON SAURA... ON AURA UN EXEMPLAIRE DU JUMP N° 32... MÊME SI JE SAIS QU'ON NE SERA PAS DEDANS, IL FAUT QUE JE LE VOIE DE MES PROPRES YEUX...
OUI... MONSIEUR MIURA A DIT QU'IL NOUS L'APPORTERAIT DEMAIN.
ink

... LE LENDEMAIN...
TADAN
MAIS ENFIN...?!
IL NE MANQUE PAS QUE "TRAP", MAIS AUSSI "CROW", "KIYOSHI", "RAKKO" ET "HIDEOUT"...
VLAM
BROUHAHA BROUHAHA
BON SANG ! JE PENSAIS POURTANT QU'ON ARRIVERAIT AU MOINS À CONVAINCRE NAKAI ET AOKI... EUX NON PLUS N'ONT PAS DONNÉ LEURS PLANCHES...
ILS ÉTAIENT SÉRIEUX, EUX AUSSI...
ILS SONT TÊTUS...
ET LA SEMAINE PROCHAINE, CE NE SERA PAS MIEUX...
BROUHAHA
C'EST L'EXEMPLAIRE ÉCHANTILLON DU LUNDI.
FUKUDA, VOUS ÊTES TOUS TROP FORTS !
ÇA NE PEUT PAS CONTINUER COMME ÇA... MAIS JE NE PEUX PAS TRAHIR LES AUTRES...
QUOI QU'IL EN SOIT, JE DOIS PROFITER DE CETTE SEMAINE DE SUSPENSION POUR FAIRE DES PLANCHES ENCORE MEILLEURES...
CRAT CRAT
QUOI QU'IL EN SOIT, JE VAIS POUVOIR ME REPOSER AU MOINS UNE SEMAINE.
DE TOUTE ÉVIDENCE, C'EST TOI HIRAMARU QUE CETTE INTERRUPTION REND LE PLUS HEUREUX...

MAIS QU'EST-CE QUE ÇA VEUT DIRE !?
LES AUTRES ONT ANNONCÉ QU'ILS FERAIENT UN BOYCOTT SI JAMAIS "TRAP" ÉTAIT SUSPENDU...

439
NOUS, ON EST PRÉSENTÉS COMME "ABSENTS POUR RAISONS DE SANTÉ", MAIS...
... POUR FUKUDA ET LES AUTRES, IL S'AGIT DE "RAISONS PERSON-NELLES"...
Les mangas publiés dans ce magazine ... aucun lien avec des personnes ou des situations réelles.
Cette semaine, les mangas "CROW", "KIYOSHI", "RAKKO", "HIDEOUT" sont absents du sommaire pour raisons personnelles des auteurs.

FU-KUDA... ET MÊME EIJI...
C'EST BIEN CE JUMP-LÀ QUI SERA MIS EN VENTE LUNDI PROCHAIN, N'EST-CE PAS ? C'EST TRÈS EMBÊTANT, NON ?
OUI... FUKUDA ET LES AUTRES AUTEURS NE REPRENDRONT PAS TANT QUE "TRAP" SERA SUSPENDU...

MAIS IL NE FAUT PAS QU'ILS FASSENT ÇA ! NON, SURTOUT S'ILS FONT ÇA POUR NOUS !
IL A RAISON ! ON N'A JAMAIS SOUHAITÉ ÇA !
MASHIRO, DU CALME. PENSE À TA PLAIE.

ET LES LECTEURS ?
QUE DEVIENNENT-ILS DANS CETTE HISTOIRE ? EUX QUI ATTENDENT CHAQUE SEMAINE LA SUITE IMPATIEMMENT !
FLAP
FLAP
JE COMPRENDS TRÈS BIEN CE QUE VOUS RESSENTEZ... D'AILLEURS, JE DOIS VOUS PARLER...

VOUS L'AVEZ VU ? LE CHAPITRE 19 N'EST PAS PARU... MAINTENANT, ACCEPTEZ-VOUS L'IDÉE QUE VOTRE SÉRIE NE REPRENNE PAS AVANT QUE MASHIRO SORTE DE L'HÔPITAL ?
!?
VOUS VOUS Y METTEZ, VOUS AUSSI ? ON A TERMINÉ LES CHAPITRES 19 ET 20 !
ET ON VA CONTINUER À AVANCER.
OUI... OUI, J'AI COMPRIS, MAIS...
PAR EXEMPLE, SI LE DIRECTEUR RECTIFIE SA DÉCISION EN REPRENANT LA PUBLICATION DE "TRAP" DÈS QUE MASHIRO SORT DE L'HÔPITAL, QUE FEREZ-VOUS ?
N'ACCEPTERIEZ-VOUS PAS DE RACCOURCIR LE TEMPS DE SUSPENSION ET DE LE FIXER À LA SORTIE D'HÔPITAL DE MASHIRO ?

LE DIRECTEUR ÉDITO A DÉCIDÉ QUE "TRAP" SERAIT SUSPENDU JUSQU'À CE QUE VOUS SORTIEZ DU LYCÉE...

LA BANDE DE FUKUDA A ANNONCÉ QU'ELLE NE DESSINERAIT PLUS TANT QUE "TRAP" NE SERAIT PAS PUBLIÉ À NOUVEAU...

CEPENDANT, SI JAMAIS LE DIRECTEUR ACCEPTE QUE VOUS REPRENIEZ "TRAP" UNE FOIS MASHIRO SORTI DE L'HÔPITAL ET NON PAS EN AVRIL DE L'ANNÉE PROCHAINE...

... LES AUTRES AUTEURS SERONT PEUT-ÊTRE D'ACCORD POUR METTRE FIN À LEUR BOYCOTT.

À L'INVERSE, SI JAMAIS LES AUTEURS ARRÊTENT LEUR BOYCOTT, LE DIRECTEUR REVIENDRA PEUT-ÊTRE SUR SA DÉCISION ET REMETTRA "TRAP" QUAND MASHIRO SORTIRA DE L'HÔPITAL... C'EST MOI QUI ME CHARGE DE NÉGOCIER CELA...

...
SI JAMAIS NOTRE DÉLAI DE SUSPENSION EST RACCOURCI, CE SERA UN MOINDRE MAL.
D'AUTANT PLUS QUE JE N'AI PAS ENVIE QUE FUKUDA ET LES AUTRES ARRÊTENT DE DESSINER.
...

...

LUNDI 11 JUILLET, JOUR DE LA SORTIE DU N° 32 DU "WEEKLY SHÔNEN JUMP"...
NOUS SOMMES VRAIMENT DÉSOLÉS...
RRR
RRR
OUI... CONCERNANT CE SUJET, NOUS...
RRR
* JUMP.
IL FALLAIT S'Y ATTENDRE...
RRR
RR
ILS EN ONT MÊME PARLÉ AUX NOUVELLES... CINQ AUTEURS ABSENTS EN MÊME TEMPS DU SOMMAIRE DANS LE "WEEKLY SHÔNEN JUMP"... L'IRONIE VEUT QUE, D'APRÈS LE SERVICE DES VENTES, LE MAGAZINE S'ÉCOULE MIEUX QUE D'HABITUDE... IL DOIT Y AVOIR DES LECTEURS INHABITUELS QUI L'ACHÈTENT PAR CURIOSITÉ...
RRR
AKIRA ! YÛJIRÔ ! RÉPONDEZ AU TÉLÉPHONE AU LIEU DE BAVARDER TRANQUILLEMENT !!

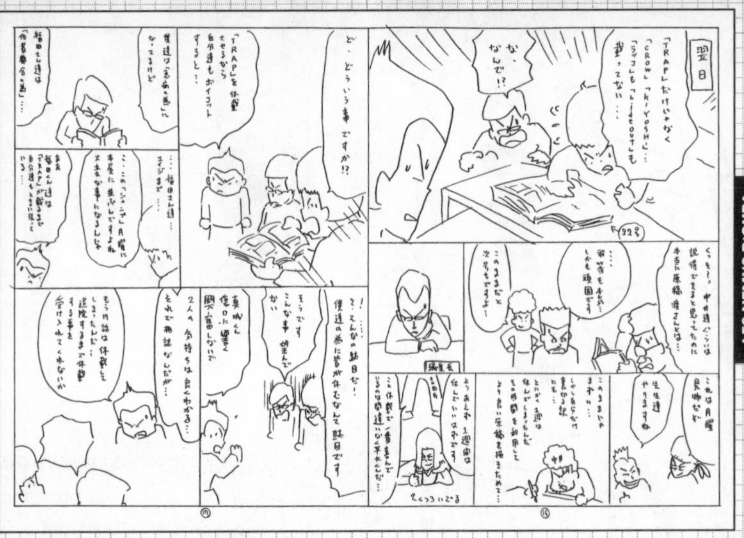

LES NEMUS D'OHBA

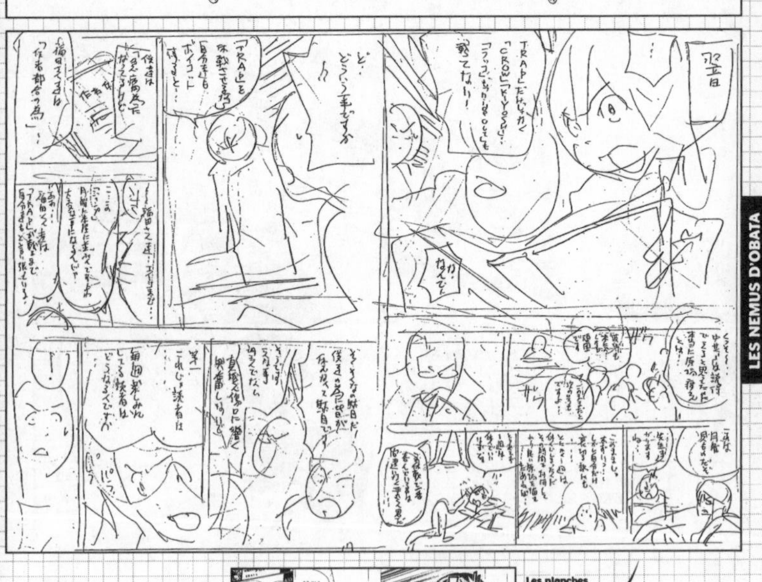

LES NEMUS D'OBATA

Les planches terminées !

BAKUMAN · VOL. 6
Du découpage à la planche finie
Épisode 49 - pages 122-123

ET DONC, SI VOUS ACCEPTEZ DE FAIRE REDÉMARRER "TRAP" APRÈS LA SORTIE D'HÔPITAL DE MASHIRO, JE PENSE POUVOIR LES CONVAINCRE D'ARRÊTER LEUR BOYCOTT !
...
À CONDITION QUE MASHIRO REPRENNE SA SÉRIE EN SORTANT DE L'HÔPITAL ET NON L'ANNÉE PROCHAINE, ACCEPTERIEZ-VOUS DE METTRE FIN À VOTRE BOYCOTT ?
...
...
...
...
SI VOUS ACCEPTEZ D'ATTENDRE JUSQU'À TA SORTIE DE L'HÔPITAL, MASHIRO, JE CONVAINCRAI LE DIRECTEUR ET LES AUTEURS !
FUKUDA ET TOUS LES AUTRES CONTINUENT DE DESSINER LEURS PLANCHES. SI ON AGIT VITE, ON PEUT ENCORE ÉVITER DE JUSTESSE LEUR ABSENCE DANS LE N° 33 !
...
Page 50
TEMPÉRAMENT ET ABSURDITÉ

Page 50
TEMPÉRAMENT
ET ABSURDITÉ

LE MEURTRIER, C'EST TOI !!

POUR AOKI, C'EST LE FAIT QUE "TRAP" SOIT SUSPENDU JUSQU'À LEUR SORTIE DU LYCÉE QUI EST INCOMPRÉHENSIBLE.
DONC, SI LE MANGA REPREND LORSQUE MASHIRO QUITTE L'HÔPITAL, ÇA VA POUR ELLE...
NAKAI DIT LA MÊME CHOSE QU'ELLE.
D'APRÈS YOSHIDA, HIRAMARU FERA LA MÊME CHOSE QUE LES AUTRES.
FUKUDA ET NIIZUMA ?

ILS ONT DIT QU'ILS RÉFLÉCHIRAIENT SI LA REPRISE DE "TRAP" À TA SORTIE D'HÔPITAL ÉTAIT OFFICIELLEMENT DÉCIDÉE...
BIEN ENTENDU, IL FAUT QUE TU SOIS AUSSI D'ACCORD, MASHIRO.
...
POUVEZ-VOUS FAIRE VENIR EIJI ET FUKUDA ? JE VAIS LEUR PARLER.
SAIKÔ !
TAC

TU ES DONC D'ACCORD AVEC LA CONDITION QUE JE TE PROPOSE ?
SI CELA PERMET À TOUT LE MONDE DE REPRENDRE LES MANGAS...
APRÈS TOUT, C'EST PARCE QUE JE SUIS TOMBÉ MALADE QU'ON EN EST LÀ... LES AUTEURS... LES LECTEURS... LA RÉDACTION DU JUMP...
... ET LE DIRECTEUR ÉDITO... TOUT LE MONDE EST ENNUYÉ PAR MA FAUTE...
JE COMPRENDS...

VOUS VOUS FICHEZ DE MOI ? S'ILS ONT FAIT LEURS PLANCHES, MONTREZ-LES-MOI.
FACILE À DIRE. ILS NE VEULENT PAS NOUS LES DONNER. VOUS VOUDRIEZ QU'ON AILLE LES VOLER ?
OUI ! S'IL LE FAUT, FAITES USAGE DE LA FORCE POUR AVOIR LES PLANCHES ! C'EST ÇA, LE MÉTIER D'ÉDITEUR !
AU-TREFOIS, OUI, PEUT-ÊTRE, MAIS PLUS AUJOUR-D'HUI...
...
集英

ÉCOUTEZ-MOI BIEN ! SI CES QUATRE MANGAS SONT ENCORE ABSENTS DANS LE PROCHAIN NUMÉRO, DES TÊTES VONT TOMBER ! VOUS ÊTES PRÉVENUS !
ET PAS QUE LES VÔTRES ! LE DIRECTEUR DEVRA PEUT-ÊTRE PORTER LA RESPONSABILITÉ DE TOUT ÇA.
NOUS ALLONS FAIRE TOUT CE QU'ON PEUT.
NOUS MENACER DE NOUS VIRER, ÇA AUSSI, C'EST UNE VIEILLE MÉTHODE... VOUS EXAGÉREZ...
♫ ♪

EXCUSEZ-MOI...
CLAP

YÛJIRÔ, VOUS NE POURRIEZ PAS FAIRE VENIR NIIZUMA ET FUKUDA À L'HÔPITAL POUR VOIR MASHIRO ? C'EST VOUS, LEUR RESPONSABLE ÉDITORIAL...
O.K., PAS DE PRO-BLÈME...
SHIII
SHIII

MIURA M'APPELLE, JE DOIS SORTIR.
TAP TAP
RASSURE-MOI : SON SUPÉRIEUR, C'EST TOUJOURS MOI, PAS MIURA, HEIN ?
OUI...
TECHNI-QUEMENT, EN TOUT CAS.

20
CRAT
CRAT
METTEZ FIN À VOTRE BOYCOTT.

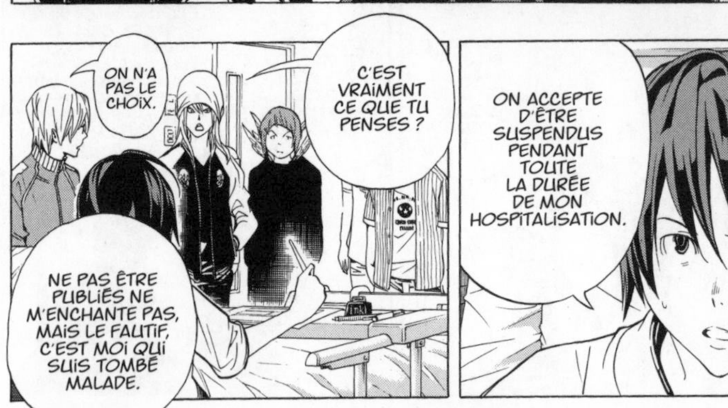
ON ACCEPTE D'ÊTRE SUSPENDUS PENDANT TOUTE LA DURÉE DE MON HOSPITALISATION.
C'EST VRAIMENT CE QUE TU PENSES ?
ON N'A PAS LE CHOIX.
NE PAS ÊTRE PUBLIÉS NE M'ENCHANTE PAS, MAIS LE FAUTIF, C'EST MOI QUI SUIS TOMBÉ MALADE.

VOUS L'AVEZ ENTENDU COMME MOI ? MAINTENANT, VOUS DEVEZ DEVENIR RAISONNABLES.
PAS SI VITE ! VOUS AVEZ DES GARANTIES QUE "TRAP" REPRENDRA QUAND MASHIRO SORTIRA DE L'HÔPITAL SI JAMAIS ON ARRÊTE NOTRE BOYCOTT ?
ÇA... NON, PAS ENCORE.
...
EH BEN...

C'EST BON, J'AI COMPRIS ! NOUS, ON S'ENGAGE AU NOM DE LA RÉDACTION ! JE VOUS PROMETS QU'ON CONVAINCRA LE DIRECTEUR ÉDITO !
YŪJIRŌ...
VOUS DEUX ? MAIS OUI, BIEN SÛR...
FAIS-NOUS CONFIANCE ! JE T'ASSURE QU'IL Y A BEAUCOUP DE PERSONNES À LA RÉDACTION QUI S'ÉTONNENT DE LA DÉCISION QUI A ÉTÉ PRISE CETTE FOIS.
LE DIRECTEUR EST TÊTU, LUI AUSSI, ET JE NE PROMETS PAS DE LE FAIRE CHANGER D'AVIS TOUT DE SUITE, MAIS ON Y ARRIVERA AVANT QUE MASHIRO SOIT GUÉRI !
OH...
TAP TAP
OOH
MÊME SI JE COMPRENDS CE QUE RESSENT MASHIRO, JE RESTE PERSUADÉ QUE DESSINER ALORS QU'ON EST MALADE, CE N'EST PAS RECOMMANDÉ.
AU-DELÀ DE ÇA, LA DÉCISION DU DIRECTEUR NE ME CONVIENT PAS.
C'EST POUR ÇA QUE JE SUIS PRÊT À PARIER MA PLACE QUE JE LE CONVAINCRAI.
SI ASHIROGI SENSEI EST D'ACCORD, POUR MOI, C'EST BON.
J'AI ENVIE QU'IL SOIT EN PLEINE FORME QUAND IL DESSINE.
...
YŪJIRŌ, PARIEZ VOTRE PLACE, ÇA VOUS REGARDE. JE M'EN FICHE, MOI.
DOM
RAAH ! C'EST BON, ÇA VA ! O.K. ! MAIS SI "TRAP" NE REPREND PAS LORSQUE MASHIRO SORT D'ICI, JE PÈTE LES PLOMBS ET JE VOUS ÉTRANGLE POUR DE BON, YŪJIRŌ.
AAH...
VOILÀ, HIRAMARU.
AH... TANT MIEUX... LES LECTEURS ATTENDENT "RAKKO", ALORS...

OUI ?

WEEKLY SHÔNEN JUMP

À LA CONDITION QUE "TRAP" REPRENNE LORSQUE MASHIRO QUITTERA L'HÔPITAL, NOUS AVONS RÉUSSI À METTRE UN TERME AU BOYCOTT DES QUATRE AUTEURS.
WEEKLY SHÔNEN JUMP
WEEKLY SHÔNEN JUMP
Titre
Nombre de pages
Total

C'EST VRAI ? DANS CE CAS, DÉPÊCHEZ-VOUS D'ALLER À L'IMPRIMERIE ! ON LEUR A DEMANDÉ D'ATTENDRE EXPRÈS !
NON... LE DIRECTEUR N'A PAS ENCORE RÉPONDU...
NEN JUMP

BRAVO, VOUS AVEZ RÉUSSI À LES RAISONNER, C'EST BIEN.

NÉANMOINS, "TRAP" NE REPRENDRA PAS AVANT QUE MASHIRO ET TAKAGI SOIENT SORTIS DU LYCÉE.
!

MONSIEUR LE DIRECTEUR !!
AH... YÛJIRÔ !
BAM
WEEKLY SHÔNEN JUMP
INUTILE DE S'ÉNERVER... ON A ENCORE LE TEMPS.
OUI, MAIS CE N'EST PAS LUI QUI VA RÉSOUDRE LE PROBLÈME !
...
J'AI COMPRIS. JE VAIS DÉPOSER "CROW" ET "KIYOSHI" À L'IMPRIMERIE.
...
TAC
ON A DÉJÀ EXPLIQUÉ QUE, POUR ÉVITER DE SE RETROUVER DANS UNE SITUATION IDENTIQUE, LE MIEUX ÉTAIT D'ATTENDRE QU'ILS SORTENT DU LYCÉE.
SI JAMAIS LE DIRECTEUR NE CÈDE PAS, ON AURA SÛREMENT UN PROBLÈME PLUS GRAVE QU'UN BOYCOTT.
OUI... PARCE QUE ÇA VOUDRA DIRE QU'ON A MENTI À ASHIROGI, À FUKUDA ET AUX AUTRES.
QUEL GENRE DE MARCHÉ AVEZ-VOUS FAIT AVEC EUX ?
L'OPÉRATION DE MASHIRO S'EST BIEN PASSÉE, ET IL EST EN PLEINE FORME... IL ÉTAIT MÊME EN TRAIN DE DESSINER LE CHAPITRE 21... J'AURAIS AIMÉ QU'ON PUBLIE AU MOINS LE CHAPITRE 19 QUI CONCLUT UNE AFFAIRE...
CRAT CRAT
OUI... IL PÉTAIT LE FEU... C'EST FOU CE QUE LES JEUNES RÉCUPÈRENT VITE... ET NOUS, ON VA LE FAIRE ATTENDRE JUSQU'AU PRINTEMPS PROCHAIN...
...

MASHIRO VA SI BIEN QUE ÇA...?
IL CONTINUE À DESSINER ?
IL EST DEVENU TOUT PÂLE QUAND ON LUI A PARLÉ DU BOYCOTT, MAIS À PART ÇA, ENSUITE, ÇA ALLAIT TRÈS BIEN...
IL A ACCEPTÉ LA SUSPENSION, ET ÇA NE L'EMPÊCHE PAS DE DESSINER. ÇA VA PRESQUE TROP BIEN.
...
...?

SHHH
SHHH
SHHH
SHHH
DANS LE MEILLEUR DES CAS, NOTRE SÉRIE SERA SUSPENDUE JUSQU'À CE QUE TU QUITTES L'HÔPITAL... ON DEVRAIT PEUT-ÊTRE EN PROFITER POUR PRÉPARER LES EXAMENS D'ENTRÉE EN FAC...
CRASH
POUR MOI, ÇA NE CHANGE RIEN, IL EST TROP TARD. JE DESSINE, C'EST TOUT.
CRASH
CRASH
CRASH

CERTES, MAIS SI JAMAIS YÛJIRÔ N'ARRIVE PAS À CONVAINCRE LE DIRECTEUR, ÇA VEUT DIRE QU'ON SERA SUSPENDUS JUSQU'AU PRINTEMPS PROCHAIN.
CRASH
ON N'A PAS LE CHOIX : IL FAUT LEUR FAIRE CONFIANCE.
ET IL FAUT CROIRE EN NOUS.
CROIRE EN NOUS ?
FLAP
FLAP
NOUS, LE MANGA, C'EST TOUT CE QU'ON A.
JE COMPTE SUR TOI POUR FAIRE DE BONS NEMUS. JE NE VAIS PAS T'EMPÊCHER DE PRÉPARER DES CONCOURS, MAIS BON...
PFF
...

C'EST AINSI QUE LES JOURS, LES SEMAINES, LES MOIS PASSAIENT...
PFF... LE DIRECTEUR N'A QU'UNE RÉPONSE : NON... JE NE SAIS PLUS QUOI FAIRE...
IL NE FAIT QUAND MÊME PAS ÇA JUSTE PAR ENTÊTEMENT...?
CE N'EST PAS LOYAL DE SA PART, D'AUTANT PLUS QUE VOUS AVEZ MIS FIN AU BOYCOTT...
...
SAT! SAT!
VOUS PENSEZ VRAIMENT QU'ON VA POUVOIR ÊTRE DE NOUVEAU PUBLIÉS QUAND MASHIRO SORTIRA DE L'HÔPITAL ?
VRAIMENT, IL FAUT QUE VOUS FASSIEZ QUELQUE CHOSE...
CE QUI COMPTE, C'EST DE NE PAS ABANDONNER, MAIS AUSSI DE CONTINUER NOS EFFORTS...
DANS LE N° 36 DU JUMP, L'ADAPTATION EN ANIME DE "CROW" A ÉTÉ ANNONCÉE.
祝アニメ化 巻頭カラー
CROW
* ADAPTATION EN DESSIN ANIMÉ !
QUAND JE VOIS ÇA, QUAND MÊME, JE L'ENVIE... PENDANT CE TEMPS, POUR NOUS, LA SORTIE DU TOME 2 PRÉVUE EN SEPTEMBRE A ÉTÉ REPOUSSÉE...
AU POINT OÙ ON EN EST, IL EST INUTILE DE SE PRESSER.
SOYONS PATIENTS, JUSQU'À MA SORTIE D'ICI...
ÇA MARCHE BIEN AUSSI POUR "RAKKO" ET "KIYOSHI"... BON SANG !
C'EST PLUS DIFFICILE POUR "HIDEOUT"...
JE SUIS QUAND MÊME PRESSÉ DE REPRENDRE...
ENCORE FAUT-IL QUE TOUT SE PASSE COMME PRÉVU...

PARFOIS, J'ÉTAIS SEUL AVEC AZUKI.
HOSPITALISÉ ET AU REPOS FORCÉ POUR LE JUMP, JE PROFITAIS DE CES INSTANTS QUI ME PROCURAIENT MALGRÉ TOUT UN GRAND BONHEUR.
TOUS LES DEUX, ON N'EST PAS TRÈS BAVARDS, HEIN ?

NON.
...
SI ON RÉALISE NOS RÊVES... ET QU'ON SE MARIE, CE SERA PEUT-ÊTRE COMME ÇA AUSSI...
OUI.
"OUI" ...?
OUI... ENFIN, ON SERA MOINS INTIMIDÉS, MAIS D'ORDINAIRE, ON EST PLUTÔT DISCRETS, TOI ET MOI, ALORS...
TU N'AIMES PAS ÇA ?

SI.
MOI AUSSI...
SHILI
SHILI
SHILI
TANT MIEUX...
CELA DIT, SI ON NE BAVARDE PAS VRAIMENT EN CE MOMENT, C'EST PARCE QUE TU ES TRÈS CONCENTRÉ SUR TES PLANCHES, N'EST-CE PAS ?
...!

JE SUIS DÉSOLÉ.
NON, NE LE SOIS PAS...
CRAT !
JE VEUX QUE NOS RÊVES SE RÉALISENT...
OUI, JE LE SAIS.
CRAT !
CRAT !

PUIS LE 15 SEPTEMBRE EST ARRIVÉ...
MASHIRO SORT ENFIN DE L'HÔPITAL... ET LE DIRECTEUR QUI CAMPE TOUJOURS SUR SES POSITIONS... MERDE...
FUKUDA ET LES AUTRES NE VONT PAS EN RESTER LÀ, HEIN ?
EH ! TU VAS FAIRE QUELQUE CHOSE, HEIN ?!

BONJOUR ! FÉLICITATIONS POUR TA GUÉRISON !
BONJOUR !
BON-JOUR !

ALORS ? QU'A DIT LE DIRECTEUR ?
JE LUI AI ANNONCÉ QUE MASHIRO SORTAIT AUJOURD'HUI ET J'AI EU DROIT AU MÊME SIGNE DE TÊTE QUE D'HABITUDE.
HATTORI ET YOSHIDA SE SONT RANGÉS DE NOTRE CÔTÉ, MAIS ÇA N'A RIEN FAIT...
AH BON ?

TIENS ! OÙ EST MIHO ?
!

ELLE A POURTANT DIT QU'ELLE ALLAIT AUX TOILETTES ET QU'ELLE NOUS ATTENDAIT EN BAS, NON ?

ELLE A SÛREMENT DÛ PARTIR... ÇA DEVAIT ÊTRE DUR POUR ELLE DE DIRE AU REVOIR À MASHIRO... EN PLUS, DEVANT NOUS...
HUM... OUI, FAIRE ÇA, ÇA LUI RESSEMBLE, MAIS...
BON, ON Y VA ?
OUI.
HEIN ?
ON VA À LA RÉDACTION DU JUMP.
BEN... DEPUIS QUAND CE SONT LES CONVA-LESCENTS QUI VONT RENDRE VISITE À LEUR PATRON ?

TADAN
...
EN EFFET, C'EST LE MOMENT D'ALLER S'EXCUSER POUR LES ENNUIS CAUSÉS, D'ALLER DIRE QUE L'HÔPITAL, C'EST FINI, ET SURTOUT DE MONTRER QUE MASHIRO EST EN PLEINE FORME !

MAMAN, DÉSOLÉ D'ALLER À LA RÉDACTION AVANT D'ALLER À LA MAISON...
C'EST BON, J'AI COMPRIS, VAS-Y.
VROOOM
...

CTION
SHÔNEN
JUMP
VLAM
DÉTECTIVE MYSTIFICATEUR TRAP
DÉTECTIVE MYSTIFICATEUR TRAP
* JUMP.
WAOUH...
...
PENDANT TOUTE LA DURÉE DE L'HOSPITALISATION, ILS ONT CONTINUÉ À DESSINER UN CHAPITRE PAR SEMAINE !
LA QUALITÉ A ÉTÉ MAINTENUE ! ELLE S'EST MÊME AMÉLIORÉE !
IL Y A 12 CHAPITRES COMPLETS. SI VOUS LES PUBLIEZ, IL Y EN AURA JUSQU'À LA FIN DE L'ANNÉE.

SI VOUS ACCEPTEZ, ILS PEUVENT FAIRE LA SUITE SANS PROBLÈME, AU RYTHME D'UN CHAPITRE TOUTES LES DEUX SEMAINES JUSQU'À LA FIN DE LEURS ÉTUDES.
BIEN ENTENDU, S'ILS PERDENT LEUR POPULARITÉ, LE MANGA SERA ARRÊTÉ.

COMME VOUS LE VOYEZ, MASHIRO EST PARFAITEMENT GUÉRI.
IL A MÊME PRIS SIX KILOS PENDANT SON HOSPITALISATION.
MAIS LA MEILLEURE PREUVE DE SON RÉTABLISSEMENT, C'EST QUAND MÊME LE FAIT QU'IL A PU DESSINER AUTANT TOUT EN ÉTANT HOSPITALISÉ.

QU'EST-CE QUI VOUS A PRIS DE FAIRE ÇA ?
ET S'IL T'ÉTAIT ARRIVÉ QUELQUE CHOSE, MASHIRO ? TU Y AS PENSÉ ?

TOUT LE MONDE A VOULU M'EMPÊCHER DE DESSINER, MAIS JE N'EN AI FAIT QU'À MA TÊTE !! C'ÉTAIT MON IDÉE !!
MOI, J'AI ACCEPTÉ TOUT DE SUITE SON IDÉE !
NOUS AVONS DESSINÉ UN CHAPITRE PAR SEMAINE COMME D'HABITUDE, SANS QUE M. MIURA S'EN RENDE COMPTE !

MON ONCLE... TARÔ KAWAGUCHI DISAIT CECI.
AVANT D'AVOIR UNE SÉRIE, IL FAUT DE L'ORGUEIL, DES EFFORTS, DE LA CHANCE...
UNE FOIS QU'ON A UNE SÉRIE, IL FAUT...

... DE L'ÉNERGIE...
... DES RESSOURCES MENTALES...
... ET ENFIN DE LA PERSÉVÉRANCE !
...
TARÔ KAWAGUCHI...
... IL LISAIT TROP DE MANGAS SPOKON*.

* SPOKON : ABRÉVIATION DE "SPORT KONJÔ" (PERSÉVÉRANCE ET SPORT) QUI DÉSIGNE UN GENRE DE MANGA DE SPORT DANS LEQUEL LES HÉROS FONT PREUVE D'UNE PERSÉVÉRANCE, D'UN TEMPÉRAMENT HORS NORME POUR ATTEINDRE LEUR OBJECTIF QUI EST LA VICTOIRE. EX. : "ASHITA NO JOE", "ACE O NERAE !" (JEU, SET ET MATCH !), ETC.

D'ACCORD.
!
HEIN ?
FLAP
MUTO ASHIROGI, J'ACCEPTE AVEC GRANDE JOIE VOS BELLES PLANCHES FAITES AVEC PERSÉVÉRANCE !
JE M'ENGAGE À FAIRE REPRENDRE "DÉTECTIVE MYSTIFICATEUR TRAP" AUSSI VITE QUE POSSIBLE !
TADAN

HOURRA !
ÇA Y EST...

OUAIS !
TAP
C'EST FINALEMENT PASSÉ GRÂCE À LA "PERSÉVÉRANCE"... LA BONNE VIEILLE MÉTHODE...
TAP

MIURA...

AH... HATTORI... C'EST... C'EST LA MÊME STRATÉGIE QUE VOUS AVIEZ EMPLOYÉE AVEC EUX AUPARAVANT, NON ? MASHIRO ET TAKAGI ONT...
...

MASHIRO ! TAKAGI !
OUI !

CE QUE VOUS AVEZ FAIT EST ABSURDE !
PARDON...

ZAM
!?
?
...
BRAVO... VOUS VOUS ÊTES BIEN ACCROCHÉS...
BOÎTE DE RÉCEPTION
De : MASHIRO
"TRAP" redémarre
15/09 20:11
On redémarre le 3 octobre dans le n° 44 en couverture du mag avec des pages couleur !
RÉPONDRE
"TRAP" redémarre
20:12
Félicitations ! Surveille ta santé quand même ! La prochaine fois que tu es hospitalisé à cause des mangas, ne compte pas sur moi pour venir te voir ! Je déteste les gens qui ne connaissent pas leurs limites (lol).
MIHO
------FIN------
RÉPONDRE
MENU

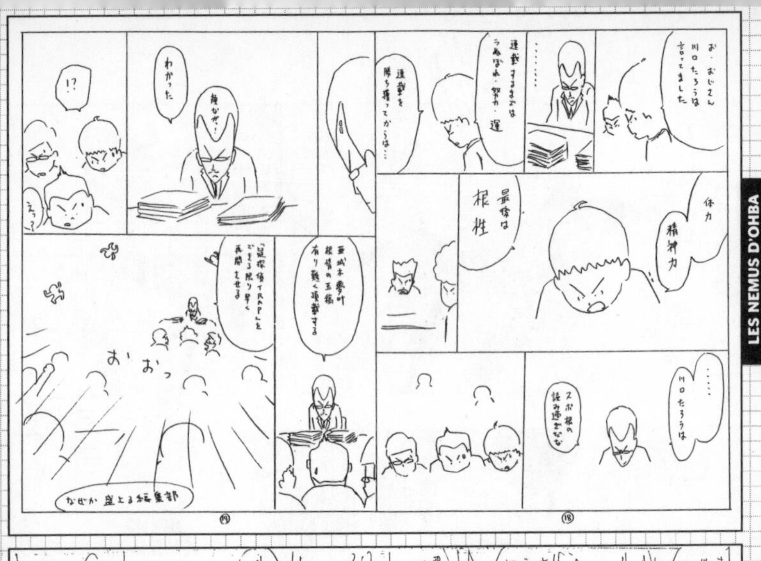

LES NEMUS D'OHBA

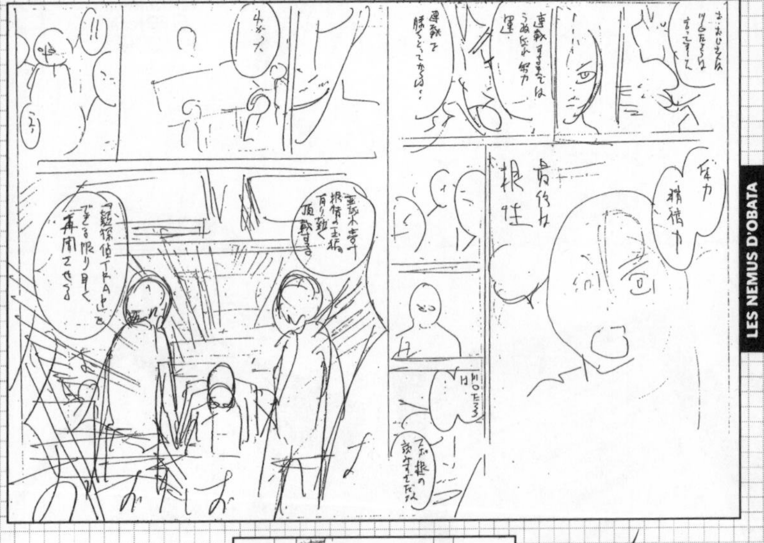

LES NEMUS D'OBATA

Les planches terminées !

BAKUMAN - VOL. 6
Du découpage à la planche finie
Épisode 50 - pages 144-145

JE ME SENS PLUS À L'AISE QUAND TU ES ASSIS DEVANT MOI, MASHIRO... J'AVAIS PRESQUE FINI PAR CROIRE QU'ON ALLAIT METTRE UNE COURONNE DE FLEURS ICI...
DIS... IL N'Y A PAS EU DE CHANGEMENT DE PLACES AU DEUXIÈME TRIMESTRE FINALEMENT...?
VAS-Y, DIS CARRÉMENT QUE ÇA T'EMBÊTE DE M'AVOIR DERRIÈRE TOI...
JE TE RAPPELLE QU'HIER ENCORE, À L'HÔPITAL, C'ÉTAIT AZUKI QUI ÉTAIT À CÔTÉ DE MOI.
SAT ! SAT !
Page 51
REDÉMARRAGE ET CHUTE
* YAKUSA KITA.
** MATHÉMATIQUES.
NE ME METS PAS DANS LE MÊME SAC QU'ELLE !
ALORS ? VOUS ÊTES ALLÉS JUSQU'OÙ ?
SHU SHU SHU
DE QUOI TU PARLES ?
AU BAISER...?
SAT ! SAT !
DING
SI JAMAIS ON SE MARIE À L'ÉGLISE, TU POURRAS NOUS VOIR. ALORS, UN PEU DE PATIENCE.
CE SERA VOTRE PREMIER BAISER ?
PEUT-ÊTRE.
...
SAT ! SAT !
DANG
DONG
PFF... ON M'A DIT QUE JE NE POUVAIS PLUS TROP M'ABSENTER SI JE VOULAIS AVOIR MON DIPLÔME DU LYCÉE.
ON A PAS MAL DE PLANCHES D'AVANCE, IL N'Y A PAS DE PROBLÈME.
TAC
TAC
JE N'AVAIS PAS MIS LES PIEDS À L'ÉCOLE DEPUIS QUATRE MOIS, MAIS C'EST AUSSI LE CAS POUR L'ATELIER.

PAN
PAN
PAN
FÉLICITATIONS POUR TA GUÉRISON !
BRAVO !
AH... MERCI... DÉSOLÉ POUR LES SOUCIS CAUSÉS...
TIENS ! CE SONT DES COOKIES QUE J'AI FAITS MOI-MÊME.
AH... MERCI BEAUCOUP.
ELLE M'AVAIT DIT QU'ELLE AVAIT RENCONTRÉ LA JOLIE PETITE AMIE DE MASHIRO À L'HÔPITAL... NE S'AGIT-IL BIEN QUE D'UN CADEAU INNOCENT POUR FÊTER SA GUÉRISON...?

ON DEVRAIT FINIR LE CHAPITRE DE LA SEMAINE AUJOURD'HUI, MAIS EST-CE QU'ON VA CONTINUER À AVANCER DANS L'HISTOIRE COMME ÇA ?
ON A JUSTEMENT UNE RÉUNION CE SOIR POUR EN DISCUTER. IL Y AURA DES VACANCES, MAIS LES ASSISTANTS SERONT PAYÉS COMME D'HABITUDE.

ÇA, ÇA M'ARRANGE BIEN.
...
MOI, ÇA ME GÊNE D'ÊTRE PAYÉE SANS TRAVAILLER...
IL NE FAUT PAS. C'EST MOI QUI SUIS RESPONSABLE DE CETTE SITUATION.
BON, SI TU LE DIS, ALORS...

PFF... VRAIMENT... POURQUOI NOUS IMPOSENT-ILS DES TRUCS PAREILS...?
QU'Y A-T-IL ?
NOS SUPÉRIEURS INSISTENT POUR QUE L'ON PUBLIE DANS LE JUMP TOUTES LES PLANCHES DE "TRAP" DANS L'ÉTAT OÙ ELLES SONT ACTUELLEMENT !
!?
...
CE N'EST PAS CE QUE TU SOUHAITAIS ?
IMAGINE UN PEU QUE MASHIRO RETOMBE MALADE...
JUSQU'À SA SORTIE DU LYCÉE, IL FERA UN CHAPITRE TOUTES LES DEUX SEMAINES, ET IL POURRA FAIRE DES PAGES COULEUR SI NÉCESSAIRE.
C'EST UNE BONNE MANIÈRE DE FAIRE, NON ?
* JUMP.
OUI, MAIS IL ÉTAIT ÉVIDENT QU'EN FONCTION DU CLASSEMENT DU VOTE DES LECTEURS, ON AURAIT MODIFIÉ LE CONTENU.
BON, LA SÉRIE MARCHE SUPERBIEN COMME ÇA, C'EST IDÉAL, MAIS...
... C'EST QUAND MÊME DINGUE DE FAIRE DÉMARRER "GUÉPARD, LE VOLEUR", LA NOUVELLE SÉRIE DE KYÔTARÔ HIBIKI SENSEI LA SEMAINE QUI SUIT CELLE DE LA REPRISE DE "TRAP". C'EST CLAIR QUE ÇA VA FAIRE DOUBLON DANS LE MAGAZINE.
QUE VEUX-TU Y FAIRE ? EN PRINCIPE, "TRAP" DEVAIT ÊTRE ABSENT JUSQU'EN AVRIL PROCHAIN.
DE PLUS, "LE GUÉPARD" EST PASSÉ PLUSIEURS FOIS EN RÉUNION ÉDITORIALE AVANT "TRAP" ET IL A ÉTÉ MODIFIÉ ENSUITE.
LA COMPÉTITION ENTRE DES MANGAS QUI SE RESSEMBLENT CRÉE UNE ÉMULATION, ET JE TROUVE ÇA BIEN.
IL FAUT JUSTE ESPÉRER QU'ILS NE SE DÉTRUISENT PAS RESPECTIVEMENT.
CLAC
VIIIM
DE PLUS, "TRAP" VA SOUFFRIR D'UN AUTRE GROS HANDICAP.
CLAC
HEIN ?
DE... DE QUOI S'AGIT-IL ?
JE L'AI APPRIS TOUT À L'HEURE PAR NOS SUPÉRIEURS...
** SHÛEISHA.

BON, LA SEMAINE PROCHAINE, ON VIENDRA TRAVAILLER COMME D'HABITUDE.
TIENS ! TAKAHAMA, TU NE RENTRES PAS AVEC EUX ?
NON, JE RESTE ENCORE UN PETIT PEU...
AU REVOIR !
À LA SEMAINE PROCHAINE !
BON, NOUS, ON Y VA.
AU REVOIR !
SLAM
VLAM
ZAT
DITES, J'AIMERAIS BIEN VOUS MONTRER DES COPIES DE MES PLANCHES, MAIS...
TES PLANCHES ?! À NOUS ?
PENDANT QUE MASHIRO ÉTAIT HOSPITALISÉ, LE SOIR, ON NE DISCUTAIT PLUS DE MANGAS ICI, ET J'AI PU LIRE TOUS CEUX QUI ÉTAIENT ICI ET QUI M'INTÉRESSAIENT. ALORS...
... J'AI ESSAYÉ DE METTRE TOUT À PROFIT EN DESSINANT UNE HISTOIRE. M. MIURA L'A PRÉSENTÉE POUR LE CONCOURS MENSUEL TREASURE DE SEPTEMBRE...
VOUS ÊTES PASSÉS PAR LÀ, ALORS, SI POSSIBLE, J'AIMERAIS BIEN AVOIR VOTRE AVIS À TOUS LES DEUX.
WAOUH ! C'EST FLATTEUR...
NON, NE DITES PAS ÇA ! VOUS ÊTES MES MAÎTRES. ALORS, LE STYLE EST PROCHE DU VÔTRE.
AH... AH BON ?
LE TITRE, C'EST ...
... "BUSINESS BOY KENICHI".
BusinessBoy ケンイチ

COMMENT ?! TU N'IRAS PAS AU LYCÉE ?!
RÉUNION PARENTS-PROFESSEURS CLASSE 3° 1
COLLÈGE HANAHARU
NON.
Kintarô Tsubaki 43 ans
Kenichi Tsubaki 15 ans
ET VOUS L'APPROUVEZ, MONSIEUR ?
VOTRE FILS A POURTANT DE BONNES NOTES...
OUI !
MERCI BEAUCOUP !
AU REVOIR.
AH ! TU ES LE SUIVANT, HARITA ?

DE TOUTE FAÇON, CE SERA RÉGLÉ EN MOINS DE 10 MINUTES, HEIN ?
OUAIS !
PAF
PAPA, NE M'ATTENDS PAS POUR RENTRER.
O.K. !
TAC
ON EST BONS AMIS, HEIN ?
OUAIS !
ZAT ZAT
TU NE LE DIRAS À PERSONNE ?
SI TU VEUX QUE ÇA RESTE SECRET, POURQUOI ME LE DIS-TU ?
ALORS, ÉCOUTE BIEN.
OUAIS ?

J'AI REÇU 300 MILLIONS DE YENS...
HEIN ?
"HEIN" ? C'EST TOUT L'EFFET QUE ÇA TE FAIT ?
BEN OUAIS, ET ALORS ?
MOI, MON PÈRE EST MORT L'AN DERNIER.
IL AVAIT UNE SOCIÉTÉ QUI TOURNAIT BIEN, ET, EN HÉRITAGE, J'AI EU BIEN PLUS QUE ÇA.
MÊME APRÈS AVOIR PAYÉ LES DROITS DE SUCCESSION...
BON, ET TOI, D'OÙ VIENNENT CES 300 MILLIONS ?
MON PÈRE AVAIT ACHETÉ 200 TICKETS DE LOTERIE ET IL M'AVAIT DIT QU'IL ME DONNERAIT LA MOITIÉ S'IL GAGNAIT. ET IL A EU DEUX TICKETS GAGNANTS À 300 MILLIONS.
DEUX TICKETS ?! C'EST INCROYABLE, ÇA !!

DU COUP, IL A PLACÉ POUR MOI 300 MILLIONS SUR UN COMPTE, À SON NOM ÉVIDEMMENT.
ÇA, C'EST LA CARTE DE RETRAIT.
EH BEN... J'ADMIRE TON PÈRE QUI A TENU SA PROMESSE...
C'EST POUR ÇA QUE J'AI DÉCIDÉ DE NE PAS ALLER AU LYCÉE.
SÉRIEUX ? TU VAS CLAQUER TON FRIC EN AMUSEMENT ?
QUI A PARLÉ DE S'AMUSER ?
JE ME LANCE DANS LES AFFAIRES !
LES AFFAIRES ? INTERNET ET TOUT ÇA ?
NON... JE VAIS COMMENCER PAR LA VENTE AMBULANTE DE PAINS...
BON, JE N'AI PAS MON PERMIS, ALORS, JE NE POURRAI PAS CIRCULER EN VOITURE, MAIS...
TU COMMENCES DOUCEMENT, C'EST BIEN...
HARITA, COMME TU AS DE L'ARGENT, LES AFFAIRES, ÇA NE TE TENTE PAS ?

MOI, ÇA ME PLAÎT ! ÇA FONCTIONNE UN PEU TROP BIEN, MAIS C'EST MARRANT !
OUI, C'EST BIEN. POUR UNE HISTOIRE COMPLÈTE, C'EST D'UN TRÈS BON NIVEAU.
C'EST VRAI ?
L'IDÉE DE TENTER PLEIN DE MÉTIERS EST TRÈS BONNE...
QU'IL AIT DÉJÀ DE L'ARGENT AU DÉBUT, C'EST NOUVEAU.
ET PUIS J'ADORE LA SCÈNE DE FIN LORSQU'IL DIT : "PLUS QUE 287 940 000 YENS."
OUI, C'EST AUSSI CE QUE J'AIME. SON CAPITAL PEUT AUGMENTER SI SES AFFAIRES MARCHENT, S'IL DEVIENT UN BON BUSINESSMAN, OU AU CONTRAIRE DIMINUER S'IL SE PLANTE.
ON VOIT QUE TU T'ES BIEN DOCUMENTÉ SUR LES DIFFÉRENTS MAGASINS POSSIBLES À LANCER...
AUJOURD'HUI, AVEC INTERNET, ON PEUT PRESQUE TOUT TROUVER.
TAKAHAMA, TU ES BON EN DESSIN DE PERSONNAGES ET TU VAS ENCORE T'AMÉLIORER POUR LES ARRIÈRE-PLANS. JE PENSE QUE ÇA PEUT MARCHER !
MERCI ! ÇA ME MET VRAIMENT EN CONFIANCE ! JE PENSE QUE JE VAIS PRÉPARER DES NEMUS SI L'ACCUEIL EST BON POUR UNE ÉVENTUELLE SÉRIE.
MERCI BEAUCOUP ! BON COURAGE POUR VOTRE RÉUNION !
MERCI, SALUT !
TAC
CE SERA PEUT-ÊTRE UN DE NOS RIVAUX À L'AVENIR...
EN TOUT CAS, ÇA ME FERAIT PLAISIR QU'UN DE NOS ASSISTANTS AIT SA PROPRE SÉRIE UN JOUR...
ON NE LUI A RIEN APPRIS. AU CONTRAIRE, C'EST PEUT-ÊTRE MÊME PLUTÔT LUI QUI NOUS A APPRIS DES TRUCS, MAIS...

IL Y AURA UNE ANNONCE FAITE DANS LE PROCHAIN "WEEK"... "GOSUKE AKECHI, PERCEUR DE MYSTÈRES"... C'EST HATTORI QUI ME L'A DIT.
QUOI ?! UN MANGA D'ENQUÊTE SCÉNARISÉ PAR KYÔICHI MURASAKI DANS LE SHÔNEN WEEK ?!
KYÔICHI MURASAKI, C'EST UN ÉCRIVAIN DE ROMANS POLICIERS DE PREMIER PLAN... MÊME MOI, J'AI DÉJÀ LU UN DE SES LIVRES.
QUI EST AUX DESSINS ?
SHUN HANASAKI. IL A DÉJÀ EU PLUSIEURS HISTOIRES COURTES PUBLIÉES. C'EST UN BON DESSINATEUR. SON DESSIN IRA BIEN POUR DES HISTOIRES POLICIÈRES.
...
EN TOUT CAS, ON PEUT PENSER QUE C'EST UNE SÉRIE QUI EST LANCÉE SUITE AU SUCCÈS DE "TRAP".
SI CELA CRÉE UN ENGOUEMENT GÉNÉRAL POUR TOUS LES MANGAS D'ENQUÊTES POLICIÈRES, TANT MIEUX, MAIS...
ET ÇA PROFITERAIT AUSSI À "GUÉPARD, LE VOLEUR" LA NOUVELLE SÉRIE DU JUMP ?
JE DOUTE QUE N'IMPORTE QUEL MANGA DU MÊME STYLE PLAISE AUX LECTEURS...
VOUS NOUS AVEZ DIT QUE LE TOME 1 DE "TRAP" SE VENDAIT CORRECTEMENT, N'EST-CE PAS ?
...
HEIN ? OUI, C'EST LA TROISIÈME RÉIMPRESSION, CE QUI L'AMÈNE À 200 000 EXEMPLAIRES VENDUS.
NÉANMOINS, "HIDEOUT" A FAIT MIEUX...

C'EST ÉTRANGE PARCE QUE, DANS LES RÉSULTATS DES VOTES DES LECTEURS, "HIDEOUT" EST ASSEZ LOIN DE "TRAP" ET DE "KIYOSHI", MAIS...
... DANS LES VENTES DE MANGAS RELIÉS, L'ORDRE S'INVERSE AVEC "HIDEOUT" QUI DEVANCE "TRAP" ET "KIYOSHI"...
L'ÉCART N'EST PAS TRÈS GRAND, CERTES...
CELA S'EXPLIQUE SÛREMENT PAR LE FAIT QUE "HIDEOUT" SE VEND GRÂCE À SON ESTHÉTISME ET QUE "KIYOSHI" N'EST LU QUE PAR LES GARÇONS...

ENFIN, LA PUBLICATION DE VOTRE MANGA A REPRIS, ET LE TOME 2 EST PRÉVU POUR NOVEMBRE, ET IL SERA SUIVI PAR LE TOME 3. LES VENTES DE "TRAP" VONT ENCORE S'AMÉLIORER.
NE VOUS EN FAITES PAS.
TAC
AU FAIT, POUR LE CHAPITRE DE REPRISE, J'AI PU OBTENIR TROIS PAGES AU LIEU D'UNE POUR PRÉSENTER UN RÉSUMÉ DE L'HISTOIRE.
ÇA, C'EST SUPER ! PARCE QUE MON PLUS GROS SOUCI, C'ÉTAIT QUE LES LECTEURS NE SE RAPPELLENT PLUS CE QUI S'ÉTAIT PASSÉ.
OUI.

TENEZ, C'EST POUR VOUS. CE SONT LES LETTRES DE FANS DEMANDANT LA REPRISE DE "TRAP". ELLES SONT ARRIVÉES PENDANT LA SUSPENSION DU MANGA.
TAC
WAOUH !
CE SONT ELLES QUI PEUVENT EXPLIQUER LE SUCCÈS DE "TRAP". QUOI QU'IL EN SOIT, LES PLANCHES QUE VOUS AVEZ RÉALISÉES SERONT TOUTES PUBLIÉES.
ET ON EST D'ACCORD SUR LE FAIT QUE, TANT QUE VOUS SEREZ ENCORE AU LYCÉE, VOUS NE FEREZ QUE DEUX CHAPITRES PAR MOIS.
D'AC-CORD.

LE 28 SEPTEMBRE, LE N° 43 DU MAGAZINE "SHÔNEN WEEK" CONTENANT LA NOUVELLE SÉRIE "GOSUKE AKECHI, PERCEUR DE MYSTÈRES" EST SORTI.
ON A L'IMPRESSION DE LIRE LE ROMAN EN MANGA... C'EST SUPER-BIEN FAIT...
ZAT
MIEUX QUE "TRAP" ?
NE ME POSE PAS CE GENRE DE QUESTION ...
推理屋 明智五助
C'EST PEUT-ÊTRE PARCE QUE C'EST LE PREMIER CHAPITRE, MAIS FRANCHEMENT, C'EST MIEUX QUE CE QU'ÉCRIT SHUJIN...
ON DEVRAIT PEUT-ÊTRE VRAIMENT S'INQUIÉTER POUR "TRAP".
* SHÔNEN WEEK - GOSUKE AKECHI, PERCEUR DE MYSTÈRES.
LE 3 OCTOBRE, LE N° 44 DU "WEEKLY JUMP" CONTENANT "TRAP" EST SORTI.
C'EST QUAND MÊME BIEN DE VOUS LIRE DANS LE JUMP !
SURTOUT QUAND ON EST EN COUVERTURE, C'EST ÉMOUVANT.
LE LENDEMAIN, ON A EU LES RÉSULTATS DU SOKUHÔ.
4es ! JE SAVAIS QUE VOS FANS VOUS ATTENDAIENT !!
C'EST GÉNIAL ! 4es ?!
** TRAP - LA SÉRIE REDÉMARRE.
CLAP
C'EST AVEC CE CHAPITRE ET CETTE COUV QU'ON COMPTAIT DÉPASSER EIJI...
"CROW" DOIT ÊTRE AU MOINS 3e... SI ÇA SE TROUVE, IL EST PREMIER...
OUI, C'EST VRAI, MAIS IL NE FAUT PAS ÊTRE TROP GOURMANDS... EN PLUS, LE DESSIN ANIMÉ DE "CROW" COMMENCE AUJOURD'HUI, HEIN ?
IL EST DÉJÀ 18 HEURES...
SAT SAT
BIP !

TADAN
LE GÉNÉRIQUE A DE LA GUEULE...
C'EST CHOUETTE DE VOIR DES DESSINS S'ANIMER.
C'EST JUSTEMENT CE QU'ON APPELLE UN "DESSIN ANIMÉ"...

CETTE FOIS, "CROW" VA CERTAINEMENT DÉPASSER LE MILLION D'EXEMPLAIRES VENDUS PAR TOME... IL VA FAIRE PARTIE DE LA VITRINE DU JUMP...
UN JOUR, J'AIMERAIS BIEN QU'ON SOIT TOUS LÀ À REGARDER "TRAP", AVEC AZUKI DANS LE RÔLE D'AMI...
C'EST BEAU.
WAOUH !

LE 7 OCTOBRE, LE N° 45 DU JUMP CONTENANT LA NOUVELLE SÉRIE "GUÉPARD, LE VOLEUR" EST SORTI.
LE CHAPITRE 20, LE DEUXIÈME DEPUIS QUE "TRAP" A REPRIS, A SUIVI LA COURBE INVERSE DE MON ENVIE DE LE VOIR ADAPTÉ EN DESSIN ANIMÉ...
LÀ, C'EST CLAIR QUE "GUÉPARD, LE VOLEUR" VA NOUS ÉCRASER.
NON, NE T'EN FAIS PAS. JE TE DIS QUE "TRAP" EST MIEUX.
... ET IL A CHUTÉ À LA 12e PLACE.
"GUÉPARD", LUI, S'EST CLASSÉ 5e. D'APRÈS M. MIURA, POUR UNE NOUVELLE SÉRIE, CE N'EST NI BON NI MAUVAIS.
in
南谷華店
24時間

** FAMI-RESTO - MINAMI-YAKUSA - 24H/24.

* NOUVELLE SÉRIE - "GUÉPARD, LE VOLEUR".

CETTE SEMAINE, C'EST "GUÉPARD" QUI A RÉCUPÉRÉ VOS VOIX, ON N'Y PEUT RIEN.
12e, AU DÉBUT, ON A CONNU ÇA.
ON VA REMONTER DOUCEMENT, NE VOUS EN FAITES PAS !
CHUTER DE LA 4e À LA 12e PLACE, ÇA FAIT MAL QUAND MÊME.
...
LA RÉUNION ÉDITORIALE SUR LES SÉRIES, C'EST À LA FIN DU MOIS, N'EST-CE PAS ?
OUI. LE 28 OCTOBRE.
MAIS JE TE DIS DE NE PAS T'EN FAIRE !
CERTES, MAIS LES RÉSULTATS DES DEUX CHAPITRES QUI SERONT PUBLIÉS D'ICI LÀ VONT JOUER, HEIN ?
CELUI QUI PASSERA JUSTE AVANT LA RÉUNION CONCLUT L'ENQUÊTE...
... ALORS, ON PEUT ÊTRE CONFIANTS.
IL FAUT ÊTRE PATIENTS, COMME AU DÉBUT. AVEC DE BONNES ENQUÊTES EN MANGA, "TRAP" VA REMONTER.
JE ME DEMANDE SI ON FAIT BIEN DE PRENDRE DE L'AVANCE...
SI JAMAIS LA SÉRIE EST ARRÊTÉE, ON AURA TRAVAILLÉ POUR RIEN...
NE PARLE PAS DE MALHEUR... EN PLUS, TAKAHAMA EST LÀ...
OUI, PARDON.
AU FAIT, TAKAGI, MASHIRO...
OUI ?

... MON MANGA "BUSINESS BOY KENICHI" A REÇU LES ENCOURAGEMENTS DU PRIX MENSUEL TREASURE ! IL PARAÎTRA DANS LE N° 1 DU JUMP QUI SORT LE 5 DÉCEMBRE PROCHAIN !
WAH ! SUPER !
FÉLICITATIONS !
BRAVO... C'EST UNE BONNE HISTOIRE.
JE SUIS SÛR QUE TU AURAS BEAUCOUP DE SOUTIEN.
AH ! JE T'ENVIE !
NE DIS PAS ÇA ! VOUS, VOUS AVEZ DÉJÀ VOTRE SÉRIE !

AH, OUI, C'EST VRAI ! ON VA TRAVAILLER DUR POUR NE PAS SE FAIRE DÉPASSER !
NE PAS SE FAIRE DÉPASSER...

LE 28 OCTOBRE, JOUR DE LA RÉUNION ÉDITORIALE, LE CHAPITRE CONCLUSIF DE "TRAP" SUR LEQUEL ON COMPTAIT S'EST CLASSÉ 14e.
RESTONS CONFIANTS...
IL Y A ENCORE PLUSIEURS MANGAS DERRIÈRE NOUS...
VU L'HEURE QU'IL EST, SI L'ARRÊT DE "TRAP" AVAIT ÉTÉ DÉCIDÉ, MIURA NOUS AURAIT APPELÉS AVANT DE VENIR, HEIN ?
CASIO
10.28.11 20.5°C
PM 7:18 58

J'AI UNE MAUVAISE NOUVELLE... ON M'A PRÉVENU QUE SI "TRAP" CONTINUAIT COMME ÇA, NOUS AURIONS DU SOUCI À NOUS FAIRE À LA PROCHAINE RÉUNION.
QUOI ?!
BEN OUI... LE DERNIER CHAPITRE A FINI 14e...
PARMI LES MANGAS QUI SONT PLUS BAS QUE NOUS DANS LE CLASSEMENT, LA FIN DE DEUX D'ENTRE EUX A DÉJÀ ÉTÉ ANNONCÉE...

LE CHAPITRE 3 DU "GUÉPARD" EST CLASSÉ 11e...
AU MOMENT DE LA PROCHAINE RÉUNION ÉDITORIALE, "TRAP" SERA AU-DESSUS...
LE "GUÉPARD" PASSERA EN DESSOUS DE "TRAP".
EN DEHORS DES SÉRIES QUI S'ARRÊTENT AU BOUT DE 10 CHAPITRES, LES SÉRIES QUI SERONT EN DANGER LORS DE LA RÉUNION SUIVANTE ONT REÇU UN AVERTISSE-MENT.
CETTE FOIS, "HIDEOUT", "TRAP" ET "GUÉPARD" L'ONT REÇU.

"HIDEOUT" AUSSI...?
OUI. MÊME SI LES VOLUMES RELIÉS SE VENDENT BIEN, CE N'EST PAS ENCORE ASSEZ POUR QU'IL ÉCHAPPE À UN ARRÊT DÉFINITIF. DANS LES RÉSULTATS DES VOTES, IL EST EN DESSOUS DE "TRAP".
PFF... PUISQU'ON A REÇU UN AVERTISSEMENT, IL FAUT QU'ON RÉAGISSE D'ICI LA PROCHAINE RÉUNION, N'EST-CE PAS ?
EST-CE QU'ON DOIT PRENDRE DES MESURES D'URGENCE ?

JE NE VOIS QUE ÇA, OUI.

DES MESURES D'URGENCE...

DES MESURES, OUI, MAIS LESQUELLES...?
...

ON A DÉJÀ RAJOUTÉ DE L'HUMOUR, RETRAVAILLÉ LES DIALOGUES...
DANS CE CAS... IL NE RESTE PLUS QU'À S'ORIENTER VERS DE LA BASTON...
RAAH... JE NE COMPRENDS PAS POURQUOI ÇA NE PLAIT PAS AUX LECTEURS !
CE QUI EST SÛR, C'EST QUE LA SUSPENSION NOUS A FAIT DU MAL...
EN QUATRE MOIS, LA SITUATION A CHANGÉ...
"GOSUKE AKECHI", "GUÉPARD"...

PLUS QU'À L'ACCOUTUMÉE, LA RÉUNION A ESSENTIELLEMENT TOURNÉ AUTOUR DE CE SUJET : QU'ALLONS-NOUS FAIRE POUR LA SUITE ?
MAIS ÇA NE VA PAS FAIRE BIZARRE DE PASSER À DE LA BASTON ALORS QU'ON A ENTAMÉ UNE NOUVELLE AFFAIRE ?
JUSTEMENT, IL FAUT FAIRE EN SORTE QUE ÇA AIT L'AIR NATUREL...
...
FINALEMENT, LA SEULE IDÉE RETENUE A ÉTÉ CELLE D'INTÉGRER DE LA BASTON...

SI ON NE FAIT RIEN, IL Y A DE GRANDES CHANCES QUE LA SÉRIE SOIT ARRÊTÉE À LA PROCHAINE RÉUNION.
...
JE N'AI PAS ENVIE DE L'ARRÊTER ! VRAIMENT PAS ! JE FERAI TOUT CE QU'IL FAUT POUR QUE ÇA N'ARRIVE PAS.

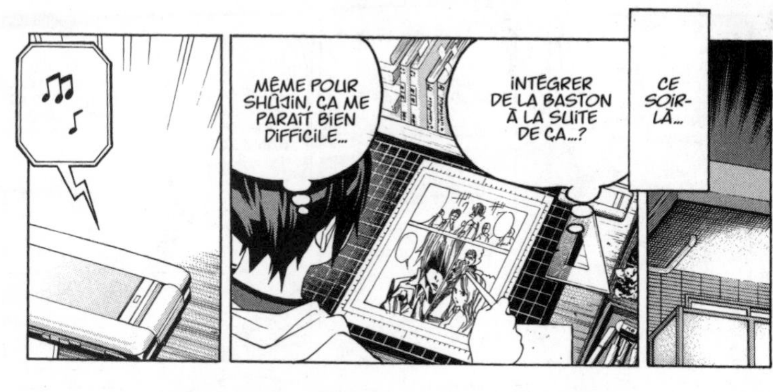
CE SOIR-LÀ...
INTÉGRER DE LA BASTON À LA SUITE DE ÇA...?
MÊME POUR SHÛJIN, ÇA ME PARAÎT BIEN DIFFICILE...

SHÛJIN...
DÉSOLÉ DE T'APPELER SI TARD. JE TE RÉVEILLE ?
NON, JE SUIS ENCORE À L'ATELIER, JE DESSINE.
EH ! NE FORCE PAS TROP, HEIN ?
NON, JE SAIS BIEN.
...
...
SAIKÔ ...
OUI ? C'EST QUOI, CE SILENCE, LÀ...?

JE N'AI PAS ENVIE DE METTRE DE LA BASTON INUTILEMENT.

...!

ON N'A FAIT QUE 24 CHAPITRES, MAIS JE SUIS... JE SUIS ATTACHÉ AUX PERSONNAGES DE "TRAP"...
METTRE DE LA BASTON À TOUT PRIX, ÇA REVIENT À DÉMOLIR NOS PERSONNAGES, NON...?

JE COMPRENDS CE QUE TU RESSENS...
C'EST PAREIL POUR MOI...
CLAC !
MAIS ON A RETOURNÉ LE PROBLÈME DANS TOUS LES SENS...
JE NE DIS PAS QUE JE NE VEUX PAS FAIRE DE BASTON... SI ÇA PLAIT AUX LECTEURS, O.K., JE SUIS PRÊT À CASSER NOS PERSONNAGES...
BEN ?! TU VIENS DE ME DIRE LE CONTRAIRE, NON ? J'EN ÉTAIS ÉMU.

TU PENSES QUE DE LA BASTON DANS CE MANGA FERA GAGNER DE LA POPULARITÉ À NOTRE MANGA ?
NON, AU CONTRAIRE, J'AI L'IMPRESSION QUE ÇA AURA L'EFFET INVERSE, MAIS DE LA BASTON DANS LE JUMP FAIT GAGNER DES VOTES, C'EST CONNU, NON ?
OUI, MAIS J'AI EU UNE AUTRE IDÉE...
AH BON ?!
JE PEUX VENIR TE L'EXPLIQUER ?
O.K., JE T'ATTENDS.

SLAP
!
DANS LE COURRIER DES LECTEURS, IL Y A PAS MAL DE LETTRES DANS LESQUELLES ILS DISENT CE QU'ILS AIMERAIENT QU'ON FASSE.
ON VA TENIR COMPTE DE CE QUE LES FANS NOUS DISENT.
ATTENDS UN PEU...
LES LETTRES, POUR LA PLUPART, ONT ÉTÉ ÉCRITES PAR DES FILLES...
C'EST TRÈS NET.
FLAP
OUI, MAIS IL N'Y A AUCUN DOUTE QUE LES LECTEURS QUI PRENNENT LA PEINE DE NOUS ÉCRIRE SONT NOS PLUS GRANDS FANS.
TU NE CROIS PAS QUE S'ILS FONT CET EFFORT D'UN CÔTÉ, D'UN AUTRE CÔTÉ, ILS RENVOIENT FORCÉMENT LE QUESTIONNAIRE D'ENQUÊTE ?
OUI, C'EST VRAI, MAIS...
...
LES LECTEURS DU JUMP SAVENT TRÈS BIEN COMMENT ÇA FONCTIONNE DANS LE MAGAZINE.
ZAT
DE PLUS, J'AI L'IMPRESSION QUE CES FANS-LÀ VOTENT POUR NOUS SANS TENIR COMPTE DE LA QUALITÉ DU CHAPITRE PUBLIÉ DURANT LA SEMAINE.

CE SONT DE CES LECTEURS-LÀ, DE CEUX QUI SOUTIENNENT "TRAP", DE CEUX QUI TROUVENT ÇA BIEN, QUE NOUS DEVONS AVANT TOUT PRENDRE SOIN.
AUTREMENT DIT, SI JAMAIS EUX NOUS LÂCHENT, ALORS, OUI, C'EST LA FIN.

...

ON VA METTRE DE LA BASTON, MAIS JUSTE UN PEU, INTÉGRÉE NATURELLEMENT DANS L'HISTOIRE, AFIN DE RAJOUTER UN PEU D'ACTION.
OUI, MAIS ÇA, C'EST CE QU'ON A DÉJÀ FAIT JUSQU'À PRÉSENT.
OUI, MAIS NON, PAS SEULEMENT. ON VA TENIR COMPTE DE L'AVIS DE NOS FANS. DE TOUTE FAÇON, C'EST ÇA, LE B.A.-BA DU MÉTIER, NON ?

...
DOM
ON DOIT TENTER TOUT CE QU'ON PEUT FAIRE, OUI...
VOILÀ !
JE VAIS LIRE TOUT ÇA ET NOTER CE QUE LES LECTEURS DEMANDENT.
JE VAIS T'AIDER.

NIIZUMA
SARL EIJI
BAM !!
BAM !!
♪ ♫
UN APPEL, ALORS QUE JE DESSINE ! LA PLAIE !
FUKUDA SENSEI !
BIP !

IL PARAIT QUE NAKAI-AOKI ET ASHIROGI SERONT EN DANGER À LA PROCHAINE RÉUNION ÉDITORIALE...
JE ME DEMANDAIS SI ON NE POUVAIT PAS FAIRE QUELQUE CHOSE...
QU'EST-CE QUE TU RACONTES ?
HEIN ? TEL QUE C'EST PARTI, ÇA SIGNIFIE QUE "HIDEOUT" ET "TRAP" VONT S'ARRÊTER !
SAT !
SAT !
DANS LE CAS D'UNE INTERRUPTION ILLOGIQUE, D'ACCORD, MAIS LÀ, LE CAS EST DIFFÉRENT.
ALORS ...
SAT !
!?

... JE NE PEUX RIEN FAIRE POUR EUX.
DANS LE MONDE DES MANGAS, SEULS LES MEILLEURS SUBSISTENT.

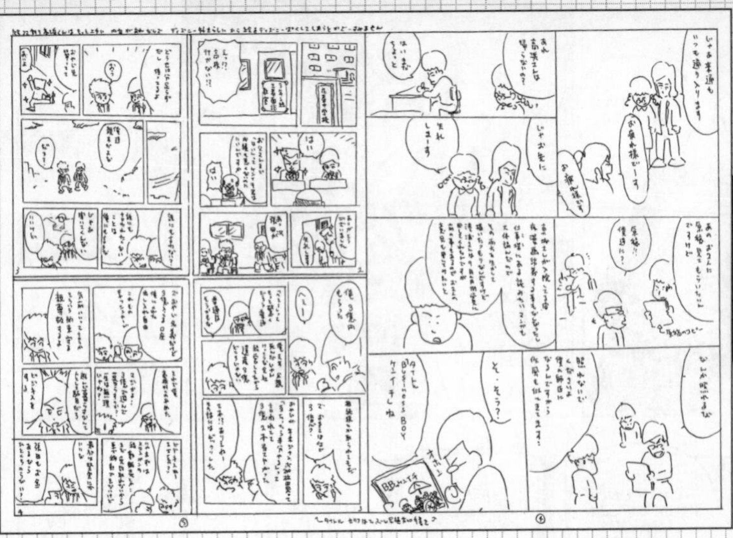

LES NEMUS D'OHBA

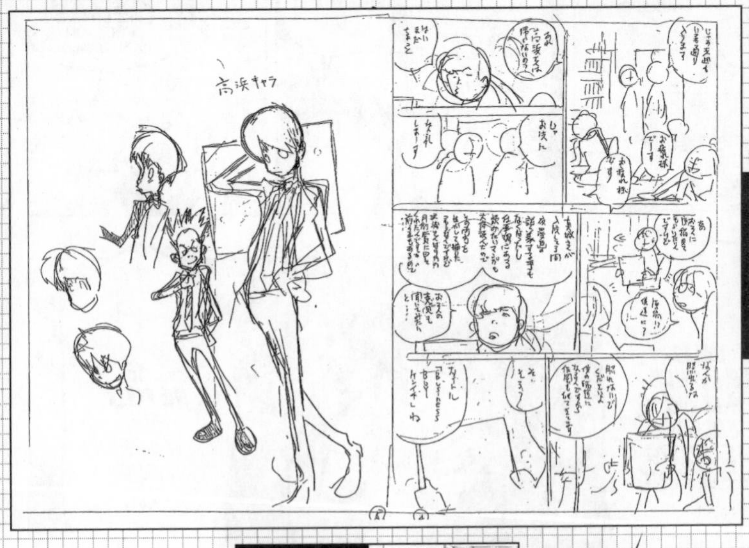

LES NEMUS D'OBATA

Les planches terminées !

BAKUMAN · VOL. 6
Du découpage à la planche finie
Épisode 51 - pages 152-153

APRÈS AVOIR APPRIS QUE "TRAP" AVAIT ÉTÉ CITÉ PARMI LES SÉRIES DONT L'ARRÊT ÉTAIT ENVISAGÉ À LA PROCHAINE RÉUNION ÉDITORIALE, NOUS AVONS CHOISI D'INTÉGRER DES IDÉES ENVOYÉES PAR NOS LECTEURS.
ON N'A NOTÉ QUE LES PLUS IMPORTANTES, MAIS ÇA EN FAIT DÉJÀ BEAUCOUP... MAINTENANT, ON LES CLASSE PAR ORDRE : DES PLUS FRÉQUEMMENT CITÉES AUX MOINS CITÉES...
EN TÊTE, ON A : "JE VEUX VOIR LA VIE DE TRAP À L'ÉCOLE."
ENSUITE, ON POURRAIT VOIR QUELS SONT LES PERSONNAGES PRÉFÉRÉS POUR LES FAIRE APPARAÎTRE PLUS SOUVENT DANS L'HISTOIRE, NON ?
Page 52
IMPRESSIONS ET FUITE
S'IL SUFFISAIT DE MULTIPLIER LES APPARITIONS DES PERSONNAGES PRÉFÉRÉS DES LECTEURS POUR GAGNER DE LA POPULARITÉ, CE NE SERAIT PAS COMPLIQUÉ...
ÇA FERAIT UNE HISTOIRE D'ENQUÊTE À L'ÉCOLE AVEC TRAP, AMI ET LE PÈRE D'AMI...
...
ON EST DÉJÀ SAMEDI... SI JE TE DONNE LES NEMUS DEMAIN, ÇA VA ?
OUI, JE N'AI PLUS BESOIN DE LES METTRE AU PROPRE, PAS DE PROBLÈME...
WAAAH
BON, JE VAIS RENTRER DORMIR UN PEU ET ENSUITE, J'ÉCRIS.
DÉJÀ DEUX HEURES DU MATIN... MOI AUSSI, JE M'ARRÊTE LÀ... SI JAMAIS JE M'ÉVANOUIS DE NOUVEAU, ON NE ME LAISSERA PLUS JAMAIS TOUCHER UN CRAYON...

...

IL EST DÉJÀ 3 HEURES DU MATIN...
L'HEURE N'A PAS D'IMPORTANCE.
POUR MOI, SI : EN RENTRANT, IL FAUT ENCORE QUE JE DESSINE...
...
AOKI, TU NE VEUX VRAIMENT PAS ?

SI ON CHANGE À CE POINT LE CONTENU, CE NE SERA PLUS MON HISTOIRE.
SI VOUS ME DITES QU'IL FAUT QUE JE RENONCE À CE QUE JE SUIS POUR QUE LE MANGA NE SOIT PAS ARRÊTÉ...
... JE PRÉFÈRE ENCORE QU'IL S'ARRÊTE COMME ÇA.

NON ! IL NE FAUT PAS QU'IL S'ARRÊTE...
AÏDA ! À VOUS DE LUI RÉPONDRE CE QU'IL FAUT...

OUI... JE COMPRENDS BIEN CE QUE TU RESSENS...

QUOI ?! C'EST TOUT CE QU'IL TROUVE À LUI DIRE ?! ET ÇA SE DIT ÉDITEUR ?!

NAKAI, QUE VEUX-TU FAIRE ?

ET MAINTENANT, C'EST À MOI DE PARLER ?!

MOI... JE... JE VOUS L'AI DÉJÀ DIT ET REDIT... JE SUIS PRÊT À TOUT POUR NE PAS VOIR S'ARRÊTER "HIDEOUT".
ON A ENFIN UNE SÉRIE. JE PENSE QU'ON DOIT FAIRE LES EFFORTS NÉCESSAIRES POUR QU'ELLE CONTINUE.

...
...

OUI, MAIS AOKI A POSÉ CLAIREMENT LES LIMITES DES CHANGEMENTS QU'ELLE ACCEPTAIT...
OUI.
OUI... MAIS C'EST À TOI DE LA CONVAINCRE !!

DANS CE CAS, VOUS POUVEZ RÉFLÉCHIR À L'HISTOIRE, TOUS LES DEUX, COMME VOUS VOULEZ, ÇA NE ME DÉRANGE PAS.
!
CEPENDANT, JE SOUHAITERAIS QUE VOUS EXPLIQUIEZ CLAIREMENT AUX LECTEURS QUE KÔ AOKI N'EST PLUS LA SCÉNARISTE, ET IL FAUT QUE VOUS SOYEZ TOUS LES DEUX CRÉDITÉS EN TANT QUE SCÉNARISTES.
TU SAIS QUE C'EST IMPOSSIBLE DE FAIRE ÇA...
SI... SI L'ON M'AUTORISE À ÉCRIRE L'HISTOIRE, JE SUIS PRÊT À LE FAIRE !
CLAC
NAKAI...
AH...

MERCI DE CHANGER LE TITRE AUSSI.
CLANG
AAH... NON, AOKI, ATTENDS !
ON VA GARDER CES NEMUS-LÀ ! IL Y A ENCORE DES CHOSES QU'ON PEUT FAIRE...
BEN ALORS, MONSIEUR AIDA ? C'EST VOUS QUI AVEZ DIT QU'ON ÉTAIT MENACÉS D'ARRÊT SI ON NE CHANGEAIT PAS CES NEMUS...

DIMANCHE...
ALORS ?
EH BEN... TU AS INTÉGRÉ PLEIN DE SOUHAITS DES LECTEURS...
ATTENDS, JE SUIS INCAPABLE DE DIRE SI C'EST BIEN OU PAS, ALORS...
BON, JE FAIS FAXER ÇA...
RÉPONDRE AUX SOUHAITS DES FANS, ÇA NE DOIT PAS ÊTRE MAUVAIS.
OUI. D'OÙ L'INTÉRÊT D'AVOIR UN AVIS EXTÉRIEUR.
BIP ! BIP !
BONJOUR, C'EST TAKAGI. DÉSOLÉ POUR LE RETARD, ON EST DIMANCHE...
ALORS ? ÇA Y EST ? TU ME FAXES ÇA CHEZ MOI ?

...
BRRRR !
TAKAGI, TU ES OÙ, LÀ ?
JE SUIS À L'ATELIER AVEC MASHIRO.
BON. VOUS M'ATTENDEZ ? J'ARRIVE.
HEIN ?! EUH... OUI.

JE VOUS AI DIT DE PRENDRE DES MESURES, MAIS ÇA, ÇA NE VA PAS ! QU'EST-CE QUI VOUS A PRIS ?

QUI A ÉCRIT CETTE HISTOIRE ?
HEIN ?
C'EST MOI, COMME TOUJOURS...
FLAP
NE TE FICHE PAS DE MOI ! JE VOIS BIEN QUE CE NE SONT PAS TES NEMUS ! JE NE SUIS PAS AVEUGLE À CE POINT !

...
JE VOUS ASSURE QUE C'EST VRAIMENT MOI QUI AI ÉCRIT ÇA.
MAIS C'EST VRAI QUE J'AI CHANGÉ DE MÉTHODE : ON A LU TOUT LE COURRIER DES LECTEURS, ET J'AI INTÉGRÉ DES IDÉES QU'ILS DONNAIENT.
JE VOIS... C'EST DONC ÇA...
PAF

C'EST LA DERNIÈRE CHOSE À FAIRE.
S'IL S'AGIT D'IDÉES QUI CORRESPONDENT PARFAITEMENT AU STYLE DE VOTRE MANGA, ALORS, D'ACCORD...
C'EST MÊME LA BONNE ATTITUDE.
MAIS SI VOUS METTEZ TOUT ET N'IMPORTE QUOI, LE RÉSULTAT SERA INCOHÉRENT.
...
ÉCOUTEZ... LE COURRIER DES LECTEURS SERT À VOUS ENCOURAGER...
IL N'EST PAS LÀ POUR VOUS APPORTER DES IDÉES.
SI VOUS RÉPONDEZ À TOUTES LES ATTENTES ET À TOUTES LES DEMANDES DES LECTEURS, CE NE SERA PLUS L'ŒUVRE DE MUTO ASHIROGI, MAIS CELLE DES LECTEURS...
VOUS COMPRENEZ ?
OUI...
DE PLUS, LA PLUPART DES FANS QUI ONT ÉCRIT SONT DES FILLES, N'EST-CE PAS ?
BIEN SÛR, FILLES OU GARÇONS, PEU IMPORTE, IL FAUT PRENDRE SOIN DE SES FANS.
MAIS...

... VOUS ÊTES PUBLIÉS DANS LE "SHÔNEN JUMP" !
週刊 少年 WEEKLY JUMP
TENIR COMPTE DE L'AVIS DES FANS QUI ÉCRIVENT AU JOURNAL, CELA REVIENT À ÉCOUTER CE QUE VEULENT LES LECTRICES.
OUI.
BIEN ENTENDU, LE FAIT QU'IL Y AIT BEAUCOUP DE LECTRICES POUR LE JUMP N'EST PAS UNE MAUVAISE CHOSE.
MAIS IL S'AGIT DE JEUNES FILLES QUI AIMENT LIRE DES "SHÔNENS", DES MANGAS POUR GARÇONS. DU COUP, AUCUN MANGA NE DÉBUTE DANS LE JUMP EN VISANT UN PUBLIC FÉMININ ; ON L'EN EMPÊCHERAIT DE TOUTE FAÇON.
LE TRAVAIL DES AUTEURS DU JUMP, C'EST DE CRÉER DE BONS SHÔNENS !
週刊 少年 WEEKLY JUMP
アニメ絶好調!!

...
VOUS AVEZ RAISON... JE SUIS DÉSOLÉ.
J'AI HAUSSÉ UN PEU LE TON, PARDON, MAIS JE N'AI FAIT QUE VOUS RAPPELER UNE ÉVIDENCE.
AUJOURD'HUI, IL N'Y A PAS QUE LE COURRIER DES LECTEURS. AVEC INTERNET, PAR EXEMPLE, ON PEUT CONNAÎTRE L'AVIS DE BEAUCOUP DE LECTEURS.

depuis qu'on
la deuxième partie, c'est
beaucoup moins bien
Qu'est-ce qui est bien dans ce manga
Arrêtez sa publication dans trois mois,
e manga me donne envie de vomir.
pousser ce manga
a été félicité, mais

NE VOUS LAISSEZ PAS INFLUENCER PAR DES GENS IRRESPONSABLES COMME ÇA.
VOUS DEVEZ DESSINER CE QUE VOUS, VOUS CONSIDÉREZ COMME INTÉRESSANT.
JE PENSAIS QUE CE GENRE DE CHOSE NE VOUS ARRIVERAIT JAMAIS À VOUS, MAIS JE SUPPOSE QUE VOUS AVEZ RESSENTI L'ESPOIR RENAÎTRE EN FAISANT ÇA...
POUR ÊTRE HONNÊTES, ON PENSE QU'AVEC "TRAP" INTÉGRER DE LA BASTON... ON SE DIT QUE CE N'EST PAS VRAIMENT LA VOIE DE CE MANGA...

D'ICI LA PROCHAINE RÉUNION, IL Y A CINQ CHAPITRES QUE VOUS POUVEZ RECOMMENCER...
?
MAIS TROIS D'ENTRE EUX CONCERNENT L'AFFAIRE EN COURS DE TRAP...

TERMINEZ CETTE AFFAIRE COMME PRÉVU.
ET TENTEZ VOTRE CHANCE SUR LES DEUX CHAPITRES QUI RESTENT !

...
JE SUIS ENTIÈREMENT D'ACCORD AVEC VOUS, MAIS... ON Y VA AVEC DE LA BASTON ?

FAITES D'ABORD CE QUI VOUS PARAIT LE PLUS INTÉRESSANT, SANS AUCUNE RETENUE !
MAINTENANT, C'EST VRAI QUE MOI, JE VERRAIS BIEN DE LA BASTON.
O.K. !
VLAM

BAM
JE TE DIS QUE CE N'EST PAS CE DONT ON AVAIT CONVENU ! ON A COMMENCÉ CE MANGA PARCE QUE "TRAP" DEVAIT ÊTRE SUSPENDU JUSQU'EN AVRIL PROCHAIN, N'EST-CE PAS ?
LÀ, ON VA S'ENTRETUER, C'EST TOUT !
BAM
402
YOSHISUKE NAKASHIMA
KYÔTARÔ HIBIKI
Scénariste de
"Guépard, le voleur"
C'EST UNE ESCROQUERIE, VOILÀ CE QUE C'EST !
SI LA SÉRIE EST ARRÊTÉE À CAUSE DE ÇA, JE VAIS ÊTRE LA RISÉE DU MILIEU ! ALORS, FAIS QUELQUE CHOSE !
...!
BAM
POUR ÊTRE POPULAIRE...
BRR
BRR
... UN MANGA DOIT D'ABORD ÊTRE BON !
GRR
POUR MOI, L'INSUCCÈS DE "GUÉPARD" N'EST PAS À IMPUTER À "TRAP" !

PASSER SON TEMPS À SE PLAINDRE NE SERT À RIEN ! CE N'EST PAS ÇA QUI RENDRA VOTRE MANGA MEILLEUR !
RÉFLÉCHISSEZ UN PEU VOUS-MÊME POUR SAVOIR COMMENT AMÉLIORER LE MANGA !!
TOI !!
TAC
ON PARLE SOUVENT DES DISPUTES ENTRE LES SCÉNARISTES ET LES ÉDITEURS QUAND LE MANGA NE MARCHE PAS BIEN... EH BEN ! CE N'EST PAS UNE LÉGENDE ! C'EST LA PREMIÈRE FOIS QUE JE TE VOIS T'ÉNERVER !
VOUS NE COMPRENEZ RIEN ! LÀ, C'EST JUSTEMENT LA PREUVE QUE, POUR UNE FOIS, ON S'ENTEND BIEN !
CLANG
VLAM
BLAM
CLING
SI MÊME ÇA VOUS NE LE COMPRENEZ PAS, VOUS RESTEREZ UN AUTEUR MINABLE TOUTE VOTRE VIE !
QUOI ?! RÉPÈTE UN PEU ÇA !!
CLING

EH BEN... ÇA NE VA PAS FORT TOUS LES DEUX AUJOURD'HUI...
TU CONNAIS DES AUTEURS DE MANGAS QUI SE SENTENT BIEN QUAND LEUR POPULARITÉ EST AU PLUS BAS ?
EN CHERCHANT, IL DOIT BIEN Y EN AVOIR UN OU DEUX.
OUI, BON, ÇA VA.
SHAA
C'EST SI CRITIQUE QUE ÇA ?
BEN OUI... ON VA ESSAYER DE RENVERSER LA VAPEUR À PARTIR DU CHAPITRE 28 QUI PARAÎT LE 5 DÉCEMBRE, MAIS...
LA RÉUNION ÉDITORIALE, C'EST QUAND ?
LE 16 DÉCEMBRE.
ÇA VEUT DIRE QU'ON VA TOUT TENTER AVEC LES CHAPITRES 28 ET 29...
VOOOOO
!
ATTENTION !!
VOOOOO
CRIIII

SALUT !
TAC
HIRAMARU !
BEN... D'OÙ VOUS SORTEZ CETTE PORSCHE ?
JE L'AI ACHETÉE, QU'EST-CE QUE TU CROIS ? À CRÉDIT, MAIS BON...
???...

ÊTRE MANGAKA, C'EST QUAND MÊME GÉNIAL.
QUAND J'ÉTAIS EMPLOYÉ DE BUREAU, AVEC MES 250 000 YENS* DE SALAIRE PAR MOIS, CE GENRE D'ACHAT ÉTAIT IMPENSABLE.
OUI, MAIS LÀ, VOUS VOUS ÊTES LÂCHÉ...
EH OUI ! JE REGARDAIS UNE PUB DANS UN MAGAZINE, ET M. YOSHIDA...
TU POURRAIS BIEN T'ACHETER UNE VOITURE...
EN PLUS, ÇA TE CHANGERAIT LES IDÉES, NON ?
... M'A SUGGÉRÉ ÇA.

* ENVIRON 2 300 EUROS.

EN OPTION, ON M'A POSÉ UN GPS POUR QUE M. YOSHIDA SACHE TOUJOURS OÙ JE SUIS, MAIS BON... HA ! HA ! HA !
QUAND ON A UNE VOITURE COMME CELLE-LÀ...
TU FERAIS MIEUX D'HABITER DANS UN IMMEUBLE QUI DISPOSE D'UN PARKING SOUTERRAIN.
LÀ AUSSI, C'EST LUI QUI M'A CONSEILLÉ, ET J'AI DÉMÉNAGÉ. C'EST UNE LOCATION, MAIS LE LOYER EST PLUTÔT COSTAUD...
...
HIRAMARU, ÇA M'EMBÊTE DE VOUS DIRE ÇA, MAIS...
HEIN ?

... JE CROIS QUE VOUS VOUS ÊTES FAIT AVOIR PAR M. YOSHIDA...
QUOI ?!
L'ANNÉE PROCHAINE, VOUS ALLEZ DEVOIR PAYER BEAUCOUP D'IMPÔTS... IL VOUS FAIT DÉPENSER VOTRE ARGENT POUR QUE VOUS SOYEZ OBLIGÉ DE TRAVAILLER. C'EST UNE VIEILLE COMBINE.
POUR... POUR QUI ME PRENDS-TU ? J'AI 28 ANS. LES IMPÔTS, CE N'EST PAS LE GENRE DE TRUC QUE J'AURAIS NÉGLIGÉ... ENFIN...
LA FERRARI N'EST PAS MAL NON PLUS...
YOSHIDA... IL M'A BIEN EU...
OUI, BON, ENFIN...
... DE TOUTE FAÇON, "RAKKO 11" MARCHE BIEN, ON A PLUSIEURS OFFRES D'ADAPTATION EN DESSIN ANIMÉ.
DEPUIS QUE RAKKO A ÉTÉ ARRÊTÉ ET MIS EN PRISON, LE MANGA A ENCORE GAGNÉ DE LA POPULARITÉ...
UN DESSIN ANIMÉ ? C'EST VRAI ?!
ON N'A PAS ENCORE TRANCHÉ, MAIS IL DEVRAIT DÉBUTER À L'AUTOMNE L'ANNÉE PROCHAINE... PEUT-ÊTRE MÊME AU PRINTEMPS.
BEN OUI...
NOS MANGAS ONT DÉBUTÉ À LA MÊME PÉRIODE, ET LUI, IL A DÉJÀ UN DESSIN ANIMÉ...
BON ! ÇA M'A FAIT DU BIEN, CETTE BALADE...
JE VAIS RENTRER DANS MON LUXUEUX APPARTEMENT ET TRAVAILLER UN PEU...
TAC
VOOOOOO
IL EST VENU NOUS MONTRER SA BAGNOLE ?
IL AVAIT QUAND MÊME TRÈS MAUVAISE MINE...
HIRAMARU RÉFLÉCHIT TOUJOURS À DES SUJETS DIFFICILES, MAIS, UN PEU COMME LORSQU'IL A DÉCIDÉ DE DEVENIR MANGAKA, ON DIRAIT QU'IL OUBLIE LES POINTS LES PLUS IMPORTANTS...
MALGRÉ TOUT, "RAKKO" A LA COTE, IL A DE LA CHANCE.
VROOOOO

LE 5 NOVEMBRE, C'EST L'ANNIVERSAIRE D'AZUKI.
ELLE A 18 ANS AUJOURD'HUI... AVEC SHÛJIN, ON S'EST TOUJOURS DIT QU'ON VOULAIT AVOIR NOTRE ADAPTATION EN DESSIN ANIMÉ AVANT NOS 18 ANS...
BIP ! BIP !
BIP !
“JOYEUX ANNIVERSAIRE”, C'EST TOUT CE QUE J'AI PU ÉCRIRE...

♫ ♪
Miho Azuki
RE : Anniversaire
Merci ! J'ai décroché le rôle de la fille dans la série américaine "Docteur Family" qui passe sur le câble ! Ce n'est pas un personnage qui apparaît dans chaque épisode chaque semaine, mais je suis supercontente d'être dans un doublage de série télé. !!
MIHO
-----FIN-----
REPONDRE
MENU

UN RÔLE DANS LE DOUBLAGE D'UNE SÉRIE... MÊME SI CE NE SONT PAS DES ACTEURS PRINCIPAUX, AZUKI A QUAND MÊME DEUX RÔLES IMPORTANTS... C'EST UNE VRAIE DOUBLEUSE...
LE DESSIN ANIMÉ DE “CROW” A COMMENCÉ...
CELUI DE “RAKKO” VA PEUT-ÊTRE SE FAIRE AUSSI...
ET “TRAP” ...?

♫
UN APPEL ! SI C'ÉTAIT AZU...
AH... SHŪJIN, CE N'EST QUE TOI...?
BAM
EH BEN, QUEL ACCUEIL ! J'AI TERMINÉ LE CHAPITRE 28 QUI DOIT MARQUER NOTRE RETOUR AU PREMIER PLAN ! SI TU VEUX LE LIRE, JE TE L'APPORTE...
BON, RETROUVONS-NOUS À L'ATELIER.
ON RETROUVE LE POSEUR DE BOMBES DE L'HISTOIRE AVEC LAQUELLE ON A ÉTÉ 3es DU CLASSEMENT. IL S'EST ÉCHAPPÉ... ET, EN PLUS, IL Y A L'APPARITION D'UN AUTRE DÉTECTIVE...
TU VOIS, CE N'EST PAS SEULEMENT DE LA BASTON PURE ET DURE OÙ ILS S'ENTRETUENT.
IL Y A UN DUEL POUR LA RÉSOLUTION DE L'ÉNIGME, AVEC UNE COURSE CONTRE LA MONTRE. QU'EN DIS-TU ?
OUI ! JE PENSE QUE ÇA DEVRAIT PLAIRE AUX LECTEURS !
N'EST-CE PAS ?!
TU VAS VOIR ! JE VAIS FAIRE LES MEILLEURS DESSINS QUE J'AIE JAMAIS FAITS !

VOUS VOUS ÊTES CREUSÉ LA TÊTE... ÇA REND BIEN.
LE CHAPITRE 28 A ÉTÉ ACCEPTÉ SANS PROBLÈME, MAIS...
... LES CHAPITRES 26 ET 27 (CONCLUSIFS DE L'ENQUÊTE) ONT ÉTÉ CLASSÉS 17es... ON EST AU BORD DU PRÉCIPICE.
...
ÇA VA ALLER... AVEC LE 28, ON VA REMONTER...

LE CHAPITRE 28 A ÉTÉ PUBLIÉ DANS LE N° 1 DE LA NOUVELLE ANNÉE, ET C'EST AUSSI LÀ QU'A ÉTÉ PUBLIÉ "BUSINESS BOY KENICHI" DE TAKAHAMA.
C'EST VRAIMENT UN HONNEUR D'ÊTRE PUBLIÉ DANS LE MÊME MAGAZINE QUE VOUS DEUX.
FÉLICITATIONS !
À SA SORTIE, JE VAIS ACHETER 10 EXEMPLAIRES DE CE NUMÉRO DU JUMP.
C'EST BIEN, OUI, MAIS TU N'AS PAS LE DROIT D'ENVOYER 10 BULLETINS D'ENQUÊTE...
MIYOSHI... QU'EST-CE QUE TU RACONTES ?

DE TOUTE FAÇON, JE PENSE QU'IL AURA PLUS DE VOIX QUE "TRAP".
TU... TU CROIS ? DANS LES DEUX CAS, JE SERAI CONTENT, MAIS...
TU SAIS, AVEC 45 PAGES, SI TU FAIS MOINS BIEN QUE "TRAP", TU NE POURRAS PAS ENVISAGER D'AVOIR UNE SÉRIE...
...

FINALEMENT, TAKAHAMA A CRÉÉ LA SURPRISE EN SE CLASSANT 2e. UN CAS EXCEPTIONNEL POUR UNE HISTOIRE COMPLÈTE.
QUANT AU CHAPITRE 28 DE "TRAP", QUI DEVAIT MARQUER NOTRE RÉSURRECTION, IL N'A PAS FAIT MIEUX QUE LA 15e PLACE.
PAR RESPECT POUR NOUS, TAKAHAMA A EU LA DÉLICATESSE DE NE PAS LAISSER EXPLOSER SA JOIE.

PFF… MÊME AVEC ÇA, ON FINIT 15es…
LA QUALITÉ DU MANGA N'A POURTANT PAS BAISSÉ.
EN NOTRE ABSENCE, LES FANS SE SONT ÉLOIGNÉS PLUS QU'ON NE LE PENSAIT… JE NE VOIS QUE ÇA…
ET PUIS ILS ONT DÛ SE RABATTRE SUR "GOSUKE AKECHI" DU "WEEK". IL PARAÎT QUE LE MANGA MARCHE TRÈS FORT…
Famires

TRÈS HONNÊTEMENT, OUI, C'EST ÇA…
LES TOMES RELIÉS NE SE VENDENT PLUS AUSSI BIEN QUE LE TOME 1…

DANS CES CONDITIONS, NOTRE SEULE ARME, C'EST DE LUTTER EN PROPOSANT DES ÉNIGMES ENCORE MEILLEURES…
MÊME SI NOTRE RIVAL EST UN ÉCRIVAIN DE PREMIER PLAN…
SI NOTRE MANGA EST MAINTENU, ON FERA TOUT CE QU'ON PEUT, MAIS…
LA PROCHAINE RÉUNION ÉDITORIALE DU 16 DÉCEMBRE TOMBE UN VENDREDI… VOUS AUREZ LES RÉSULTATS DU CHAPITRE 29 ?
NON. LA RÉUNION COMMENCE À 14 HEURES, ET LES RÉSULTATS DU HON-CHAN ARRIVENT À 15 HEURES.
ON AURA CEUX DU SOKUHÔ, QUI EST QUAND MÊME UN INDICE FIABLE, PUISQU'IL Y A RAREMENT UN GRAND ÉCART ENTRE LES DEUX.
LE CHAPITRE 29 EST DÉJÀ SOUS PRESSE, N'EST-CE PAS ? ON PEUT CONSIDÉRER QU'IL VAUT TOUJOURS MIEUX S'APPUYER SUR LA 15e PLACE DU CHAPITRE 28 QUE SUR UN RÉSULTAT ENCORE PLUS MAUVAIS DU 29, NON ?

OUI… POUR L'INSTANT, AUCUNE DES DEUX NOUVELLES SÉRIES NE DOIT EN PRINCIPE ÊTRE STOPPÉE EN DIXIÈME SEMAINE.
EN FONCTION DU NOMBRE DE SÉRIES QUI DÉBUTERONT, LE SORT DE "GUÉPARD" ET DE "HIDEOUT" POURRA ÊTRE FIXÉ, MAIS…
… MIEUX VAUT VOUS PRÉPARER AU PIRE…
…

16 DÉCEMBRE, JOUR DE LA RÉUNION ÉDITORIALE...
HEIN ? MASHIRO, TOI NON PLUS, TU NE VAS PAS À L'ATELIER ?
NON. IL NE RESTE PLUS QUE LE TRAVAIL D'OGAWA ET DES AUTRES QUI DOIVENT FINIR LES PLANCHES.
D'HABITUDE, VOUS NE FAITES PAS COMME ÇA, SI ?
PFF... MIYOSHI, T'ES LOURDE... ON N'A PAS ENVIE DE CONNAITRE LES RÉSULTATS DE LA RÉUNION DEVANT LES ASSISTANTS.
AH... AU CAS OÙ, JE VOIS...
ALORS, AUJOURD'HUI, CHACUN RENTRE CHEZ SOI ?
CHEZ MOI, IL N'Y A PERSONNE JUSQU'À CE SOIR.
OUI ? MAIS NON, AUJOURD'HUI, JE VAIS M'ABSTENIR...
HEIN ? ALLEZ, RESTE AVEC MOI !
TAKAGI...

GRRR
GRRR
VU L'ATTITUDE D'AOKI...
... AIDA N'A PEUT-ÊTRE PAS ENVIE QU'ON CONTINUE LA SÉRIE, HEIN...?
...

JE CROIS QUE C'EST LA PREMIÈRE FOIS QUE ÇA M'ARRIVE.
QUOI ?
JE PRIE POUR DE BON.
...

208

BON, NOUS AVONS CHOISI DEUX NOUVELLES SÉRIES : "STRAWBERRY SHORT" DE AYUHITO BÔRI ET "BÔON THUNDER" DE KAZUKI KIMURA.

NOUS ALLONS DÉCIDER DES SÉRIES QUI S'ARRÊTENT.

JE PENSE QUE NOUS ALLONS FAIRE NOTRE CHOIX PARMI LES TROIS MANGAS EN FEUILLETON DU BAS DU CLASSEMENT...
EN EFFET, AUCUN ARRÊT DE SÉRIE LONGUE N'EST PRÉVU POUR L'INSTANT.

OUI... IL Y A UN ÉCART CONSÉQUENT ENTRE CES TROIS MANGAS ET LES AUTRES.
DEUX SÉRIES PARMI CES TROIS-LÀ...

LA DERNIÈRE DU CLASSEMENT, C'EST RÉGLÉ...
ELLE AVAIT REÇU UN AVERTISSEMENT À LA PRÉCÉDENTE RÉUNION, MAIS ELLE N'A PAS RÉUSSI À REMONTER LA PENTE.

OUI... DE MANIÈRE SIMPLE, NOUS ALLONS STOPPER LES DEUX DERNIÈRES DU CLASSEMENT.
IL Y A DONC "HIDEOUT DOOR"...
... ET ENSUITE...

BAKUMAN 6 TEMPÉRAMENT ET ABSURDITÉ (FIN)

LES NEMUS D'OHBA

LES NEMUS D'OBATA

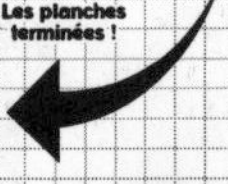

BAKUMAN - VOL. 6
Du découpage à la planche finie
Épisode 52 - pages 180-181

BAKUMAN
BAKUMAN

Ce manga est publié dans son sens
de lecture originale, de droite à gauche.

Ici, vous êtes donc à la fin.

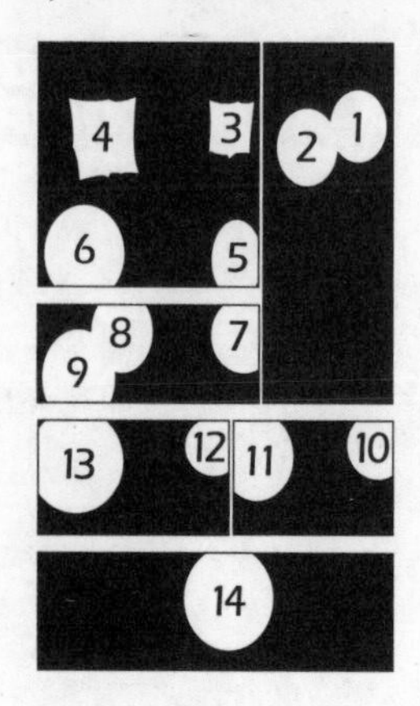

BAKUMAN.

7, avenue P-H Spaak - 1060 Bruxelles

Dépôt légal d/2011/0086/177
ISBN 978-2-5050-1076-0

Maquette : Milk Graphic Design
Traduit et adapté en français par Thibaud Desbief
Adaptation graphique : Eric Montésinos

Imprimé en France par Hérissey/Groupe Qualibris - Evreux